CRÔNICAS DE EDUCAÇÃO 2

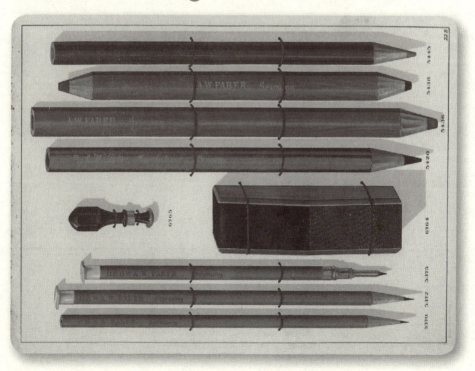

Cecília Meireles

CRÔNICAS DE EDUCAÇÃO 2

Planejamento Editorial
LEODEGÁRIO A. DE AZEVEDO FILHO

Coordenação Editorial
ANDRÉ SEFFRIN

São Paulo
2017

© Condomínio dos Proprietários dos Direitos Intelectuais
de Cecília Meireles
Direitos cedidos por Solombra – Agência Literária
(solombra@solombra.org)
1ª Edição, Nova Fronteira, Rio de Janeiro 2001
2ª Edição, Global Editora, São Paulo 2017

Jefferson L. Alves – diretor editorial
Gustavo Henrique Tuna – editor assistente
André Seffrin – coordenação editorial, estabelecimento
de texto e cronologia
Flávio Samuel – gerente de produção
Jefferson Campos – assistente de produção
Flavia Baggio – assistente editorial
Fernanda Bincoletto – assistente editorial
Danielle Costa e Elisa Andrade Buzzo – revisão
Tathiana A. Inocêncio – projeto gráfico
Victor Burton – capa

Obra atualizada conforme o
NOVO ACORDO ORTOGRÁFICO DA LÍNGUA PORTUGUESA.

A Global Editora agradece à Solombra – Agência Literária pela gentil
cessão dos direitos de imagem de Cecília Meireles.

CIP-BRASIL. CATALOGAÇÃO NA PUBLICAÇÃO
SINDICATO NACIONAL DOS EDITORES DE LIVROS, RJ

M453c
2. ed.

    Meireles, Cecília, 1901-1964
    Crônicas de educação, volume 2 / Cecília Meireles. – 2. ed. – São
Paulo: Global, 2017.
    il.
    ISBN 978-85-260-2264-5

    1. Crônica brasileira. I. Azevedo Filho, Leodegário A. II. Seffrin,
André. III. Título.

16-30536
                                CDD: 869.98
                              CDU: 821.134.3(81)-8

18/02/2016   18/02/2016

Direitos Reservados

global editora e distribuidora ltda.
Rua Pirapitingui, 111 – Liberdade
CEP 01508-020 – São Paulo – SP
Tel.: (11) 3277-7999 – Fax: (11) 3277-8141
e-mail: global@globaleditora.com.br
www.globaleditora.com.br

Colabore com a produção científica e cultural.
Proibida a reprodução total ou parcial desta obra
sem a autorização do editor.

Nº de Catálogo: **3872**

A defesa do princípio de laicidade, a nacionalização do ensino, a organização da educação popular, urbana e rural, a reorganização da estrutura do ensino secundário e do ensino técnico e profissional, a criação de universidades e de institutos de alta cultura, para o desenvolvimento dos estudos desinteressados e da pesquisa científica constituíam alguns dos pontos capitais desse programa de política educacional, que visava fortificar a obra do ensino leigo, tornar efetiva a obrigatoriedade escolar, criar ou estabelecer para as crianças o direito à educação integral, segundo suas aptidões, facilitando-lhes o acesso, sem privilégios, ao ensino secundário e superior, e alargar, pela reorganização e pelo enriquecimento do sistema escolar, a sua esfera e os seus meios de ação.

(Fernando de Azevedo, *A cultura brasileira*, 3. ed.,
Tomo III. São Paulo, Melhoramentos, 1958, p. 175.)

Sumário

TERCEIRO NÚCLEO TEMÁTICO: *Adolescência, juventude e educação*

A adolescência 15
O que leem os adolescentes 17
A alma do adolescente 19
O respeito pela mocidade 21
A Reforma de Ensino e o movimento da mocidade 23
Uma recordação da juventude 25
O espírito da mocidade 28
O mal de crescer 30
A mocidade de hoje 32
"Mocidade – primavera da vida!..." 34
Código do Estudante Brasileiro 36
O movimento universitário 38
Escrúpulos? 41
O caso dos estudantes pernambucanos [I] 43
O caso dos estudantes pernambucanos [II] 45

QUARTO NÚCLEO TEMÁTICO: *Problemas gerais do magistério, métodos e técnicas de investigação pedagógica*

As férias de junho 49
O serviço das substitutas 51
Ensino secundário 53
"A Escola Paulista" 54
Conferências pedagógicas 56
A visita de um pedagogo notável 58
Reuniões de inspetores 60
A circular aos inspetores 62
Três pessoas apavoradas e um apelo 64
O exemplo do México 67
O mistério das circulares 70

A perfídia dos testes... 72
Um grande passo pedagógico..74
Inspeção médica e educação sanitária 76
Uma pergunta..78
O fundo escolar 80
Congressos de educação 82
Assim não...84
A questão dos técnicos [I] 87
A questão dos técnicos [II] 89
Inquéritos pedagógicos 91

Quinto núcleo temático: *Educação, revolução, reformas de ensino e ortografia*
Exercícios de português 95
O ensino secundário na opinião de um preparatoriano......................................97
A responsabilidade dos reformadores 99
O Ministério da Educação Pública 101
Os programas inexequíveis 103
As crianças e a Revolução..105
Educação e Revolução 108
Reformas..110
Sobre a Nova Educação..112
Sinal dos tempos 114
O momento educacional 116
A responsabilidade da Revolução 118
Uma declaração oportuna..120
As iniciativas educacionais de após-Revolução 122
Um problema em evolução..124
Espírito de justiça..126
O canto do galo..128
O momento atual e o verdadeiro sentido da educação 131
Um compromisso da Revolução 134
O espírito da Nova Educação..136
A educação como fundamento das revoluções..138
Pedagogia de ministro... 140
Perguntas para o ar 142
O sr. Fernando de Azevedo e a atual situação do ensino.................................144
Um ofício do sr. Bergamini 146

É hora do espetáculo... 148
Aquele decreto... 150
O homem que salvou o Brasil 152
A educação em São Paulo 154
A crise educacional 156
Diógenes e a sua lanterna 158
Um problema da Revolução 160
Ministério da Educação [I]..162
Ainda o Ministério [II]...165
Coisas de educação...167
O caso do Ministério da Educação [III]..169
O momento educacional 171
Um momento único 173
A gravidade de ser interventor 175
Educar!..178
Tempos novos 181
A nomeação do dr. Anísio Teixeira...183
Para honra da Revolução! 185
Justiça 187
A confissão do sr. Francisco Campos..189
Confiança 192
Uma aposta 194
A aposta 197
Variações em torno de uma aposta..199
A Diretoria de Instrução 201
Os "cavadores" da educação 203
Possibilidades..205
Um líder..207
A minha aposta... 209
O Ministério da Educação [IV]..211
A guerra santa 213
Um decreto do dr. Pedro Ernesto..215
Coisas da Instrução 217
Revolução e educação..219
Manifestação ao interventor 221

Cronologia..223

terceiro núcleo temático
ADOLESCÊNCIA, JUVENTUDE E EDUCAÇÃO

A adolescência

O problema da educação da adolescência ocupa lugar de relevo na obra de reforma geral que ora se processa em todas as partes do mundo.

Se a infância merece um carinho extremo e superior delicadeza na sua orientação, a adolescência requer igual delicadeza e carinho; e talvez um critério mais requintado, qualidades maiores de tolerância, capacidade maior, talvez de compreensão.

A alma do adolescente, alma de transição, cheia de inquietudes e incertezas, procura por todos os lados uma forma definitiva para se fixar.

Procura um ideal que a sintetize: um caminho por onde possa pisar com segurança, marchando ao encontro do seu destino.

Infelizmente, para com a adolescência não se tem o recato, o pudor, o respeito com que, em geral, se protege a infância, diante da vida.

Considera-se o adolescente como um meio-iniciado nos aspectos mais obscuros ou duvidosos da existência.

Diz-se: "Ah! Você já é um homem..."

E que triste significação se dá a essa palavra tão nobre: homem!

Como se fosse sinônima de conhecedor de maldades, de perfídias, de toda a mesquinhez, de todos os vícios e erros que a humanidade ainda arrasta como espuma das suas aventuras violentas, das suas experiências rebeldes.

Dever-se-ia pensar, de preferência, diante daqueles que estão entre a infância e a maturidade:

> Este ainda não é um homem: está no seu momento de formação. Devemos olhá-lo com olhos religiosos; devemos passar perto dele com a precaução dos nossos próprios gestos, temendo que em nós possa brotar algum exemplo que macule essa alma, pronta para qualquer reflexo. Que pensa esta criatura? Que sonha? Quais são os motivos da sua vaga melancolia? Dos seus arrebatamentos súbitos? Vamos conhecer de perto como funciona esta vida em elaboração, que ritmo a sustenta, que impulsos a governam.

E, com essa intenção generosa, contemplar a adolescência, estudá-la, relembrá-la em nós, quando também estávamos nessa fase inquieta, ruborizados só por esta certeza: ir participar, afinal, da grande vida!

Oferecer aos adolescentes aquilo que não tivemos, talvez, quem nos oferecesse: uma esperança fecunda capaz de nos deixar ser bons, úteis e puros na medida de que são capazes os homens, quando lhes concedem liberdade e respeito no seu mais elevado sentido.

Rio de Janeiro, *Diário de Notícias*, 8 de agosto de 1930

O que leem os adolescentes

É frequente encontrarem-se, nos bondes, nas salas de espera de médicos e dentistas, mocinhas que devoram páginas e páginas de livros, completamente absorvidas pelas cenas que as palavras lhes põem diante dos olhos.

Criaturinhas de rosto romântico, debruçadas sobre enredos perturbadores, assimilando mil sugestões que lhes aparecem como a própria realização dos seus sonhos mais íntimos, das suas inquietudes mais longínquas.

Se de súbito lhes dirigirmos a palavra, acordarão perplexas, tontas ainda das paisagens por onde andaram, embevecidas pelos diálogos que ouviram.

Sairão de dentro da sua profunda leitura com um suspiro tão longo, tão longo, que se sente bem por que distâncias andavam.

Que leem essas criaturas, na sua conturbada adolescência, na pressa da viagem de bonde, na sôfrega espera de clientes, num consultório?

Geralmente, as obras ultrarromânticas de autores muitas vezes ou quase sempre de segunda ordem, frequentemente traduções duas vezes perniciosas, pelo assunto e pela forma.

Livros cheios de raptos, de lágrimas inconsoláveis, de mosteiros, para corrigirem erros, de punhais e revólveres para punirem traições. Livros dolorosos, excitantes, constituindo no ar fantasias detestáveis de vidas alimentadas de impossíveis, em que todos os aspectos da realidade se combatem, como prosaicos, e todas as alucinações se exaltam, enquadradas na moldura artificial de uma pseudopoesia.

Os adolescentes precisam de leituras variadas, agradáveis, iluminadas, é certo, por esse clarão de sonho indispensável a essa época da vida que se nutre principalmente de sugestões e aspirações.

Mas a existência de todos os dias não é só vulgaridade condenável, que deva ser arredada como material e prosaica.

É dentro dessa existência, e com os seus elementos, que se constroem as grandes atitudes, as cenas notáveis, os supremos rasgos de heroísmo que nobilitam e divinizam. Só a existência de todos os dias, duramente realizada, conduz ao estado de beleza que os romances procuram imortalizar.

Que procuram imortalizar, porém, criando-o com substâncias imagináveis, incoerentes, inverossímeis, que, à força de arrancarem as criaturas ao ambiente normal da vida, estão prontas a atirá-las às paragens alucinatórias dos vícios e das desgraças.

Rio de Janeiro, *Diário de Notícias*, 9 de agosto de 1930

A alma do adolescente

Um dos mais belos livros que conhecemos sobre a alma do adolescente, e ao qual teremos ocasião de nos referir mais largamente, é o de Eduardo Spranger, esse notável psicólogo que soube penetrar em todos os mistérios da vida humana nesse período que oscila entre a infância e a idade viril.

Parece-nos, lendo-o, que o autor se fez previamente poeta, para atravessar com os olhos claros toda a obscuridade desta vida, refletindo-a, absorvendo-a, emocionando-se com ela, fazendo repercutir no seu coração uma voz de simpatia e de estímulo capaz de despertar uma comovida ternura em todos que têm de lidar com adolescentes, no lar ou na escola.

Todos os pequenos problemas da personalidade, nessa fase cheia de hesitações, lhe mereceram longas páginas, afetuosas, profundas, belíssimas.

Com que sabedoria nos faz o autor contemplar os adolescentes, que ainda não definiram sua fisionomia espiritual, procurando-se, dia a dia, em exemplos de heroísmo, de aventuras, de martírio, de glória! Com que superior penetração nos apresenta a íntima tragédia da idade juvenil desamparada pelos que a censuram e repreendem sem lhe darem a seiva que a deveria nutrir, ou abandonada à inconsciente indiferença dos que não são capazes de compreender toda a complexidade da alma nesse período transcendente, em que fermentam todos os impulsos, em que pululam todas as aspirações!

Como nos parece sutil esse autor que sente, em cada assunto, o aspecto favorável à evolução harmoniosa do adolescente; que distingue cada forma de atuar sobre a sua vida; que adivinha o rumo que se deve dar às suas tendências e inquietações!

O valor da obra de Eduardo Spranger é imenso pelo que nos revela de uma fase da vida que só pode ser compreendida por quem a observe com amor. Mas esse valor se torna mais alto quando se pensa no bem que ele pode trazer à humanidade, divulgando essas observações entre os que especialmente se destinam à formação da adolescência, – tantas vezes alheios a todos os seus problemas interiores.

Os professores da Escola Normal e os dos colégios secundários e superiores deviam acrescer seus conhecimentos especializados da matéria que lecionam (e a que dão importância quase sempre excessiva) da leitura dessa obra notável, *Psicologia da juventude*, o que decerto concorreria para lhes abrir horizontes pedagógicos muito mais amplos.

Rio de Janeiro, *Diário de Notícias*, 20 de agosto de 1930

O respeito pela mocidade

Este século não é só da criança, como o escreveu Ellen Key: é de todos que se encaminham para o futuro, e que devem merecer da simpatia esclarecida dos homens de hoje um respeito ilimitado e uma profunda atenção por todos os problemas que gravitam em torno da formação da sua personalidade e do ambiente da sua existência.

A mocidade também está situada ao lado da infância, na preocupação dos educadores deste século.

Ela, com toda a versatilidade dos seus pendores, ainda não definidos em nenhum rumo seguro; com toda a inquietude da vida que ainda não se plasmou numa forma estática, e anda em busca da sua verdadeira estrutura, observando cada exemplo, cada sinal do tempo, cada atitude das criaturas, cada caminho das opiniões, exige dos que estão em redor uma gravidade moral, um íntimo senso de dignidade que lhe possam servir de estímulo para um desenvolvimento generoso das suas faculdades e inclinações.

O crime maior dos maus governos, dos adultos imperfeitamente educados, daqueles que todos os dias manifestam a sua cupidez, a sua vaidade, a sua ambição, o seu egoísmo, não estará, talvez, nas consequências prejudiciais que imediatamente se seguem às suas práticas. Ele reside, antes, no cenário sombrio de corrupções que deixam atrás de si, para que nele a mocidade ensaie os seus primeiros sonhos.

Essas frequentes crises de desalento, de tédio, de covardia, mesmo, e de baixeza, também, que abruptamente despontam na alma dos jovens, e que todos os educadores conhecem, originam-se nesse asco da vida provocado pelos ambientes maculados, que fazem a mocidade fraquejar de descrença.

Todas essas considerações derivam dos incitamentos ultimamente feitos aos nossos estudantes, para se alistarem em "Batalhões Patrióticos", a fim de defenderem a causa da "autoridade constituída", numa luta que todos sentiam injusta e imprópria, ainda quando tivessem medo de o declarar.

A fórmula de que lançavam mão os chefes desses "Batalhões" era a mais rasteira possível: não convocavam, sequer, os jovens, apelando para o patriotismo – e nunca essa palavra foi tão vilmente empregada como nesta fase de luta, – para um ideal, para um sentimento qualquer, grandioso e puro, que pudesse entusiasmar os moços. É bem verdade que eles não tinham elementos em que se apoiassem para fazer um apelo vibrante, nem, espontaneamente, poderiam obter o concurso da mocidade independente. Mas podiam tentar...

No entanto, nem isso fizeram. Prometeram a isenção de exames, no fim do ano... Esforçaram-se por subornar os estudantes, pelo mísero preço de uma facilidade de promoção...

Há que confessar que se mostraram verdadeiramente indignos.

A mocidade refletida e nobre não se esquecerá disso. E poderá sempre comparar com essa atitude fria e calculada dos "legalistas" interesseiros, que se serviam de todos os engodos materiais e inferiores para engrossar as fileiras dos "Batalhões Patrióticos", com a altiva inquietação dos brasileiros que concentravam as suas colunas animados pelo fervor idealista da redenção da pátria.

A mocidade não se enganará, nessa comparação. E terá, para a salvar do pessimismo que viria do triste exemplo de uns, o clarão imortal da verdade que os outros vieram semeando pelo caminho, com o heroísmo da sua força, a coragem do seu sonho, o sangue da sua vida.

Rio de Janeiro, *Diário de Notícias*, 1º de novembro de 1930

A Reforma de Ensino e o movimento da mocidade

O movimento da mocidade, delineado na fundação desse Centro de Estudantes Livres, que resolveu enfrentar o problema da reforma do ensino em nosso país, ampliando o seu programa, inteligentemente, de modo a abranger toda a atividade educacional, – é uma das demonstrações mais claras do que já uma vez afirmamos num "Comentário" destes, que o século que atravessamos não é só da criança, mas também dos jovens, isto é, dos valores novos, das forças novas da vida que exigem um domínio para a sua atuação, domínio que geralmente lhes tem sido negado no momento próprio, por um velho preconceito, enraizado no mundo, de que a idade madura, quando não a velhice, é que está apta para governar e orientar, agir e resolver.

Devido a esse preconceito é que a infância e a mocidade, até aqui, têm vindo rolando na onda turva de valores decrépitos, subjugadas à sua vontade anacrônica, e tão bem impossibilitadas de se libertar desse jugo, que só em condições idênticas de velhice e incapacidade é que poderiam assumir a sua atitude diante da vida. Daí as atitudes impróprias, envenenadas por essa disciplina de erros e malícias egoístas, que estão à vista de todos nas figuras dos "medalhões" contemporâneos, vítimas antigas causadoras de vítimas presentes e futuras, porque não há nada mais fecundo do que um erro, e nada mais adequado a erros que a natureza humana.

Quando uma juventude se levanta para manifestar uma vontade, para exprimir uma aspiração, pode-se ficar tranquilo: há esperanças bem vivas da afirmação de uma nacionalidade.

A nacionalidade está na juventude. Está no que vai ser: não no que já é ou já foi... Pátria é uma palavra que está sempre no futuro, – justamente porque é um elemento vivo, dinâmico, de crescimento constante, caminhando para um estado ideal.

Há um momento na vida em que se sente que a nossa atuação individual já cessou. Está cumprido o nosso destino. Daí por diante, apenas se conserva a existência. Nossas realizações findaram.

Quando assim acontece, é que a mocidade se extinguiu; pode não ter sido a mocidade – verdor dos anos: mas foi a mocidade – verdor do espírito. Por isso, também, há velhos perenemente moços.

Ora, o que se verificava até aqui, em geral, era esse prevalecimento de individualidades *já realizadas*, pesando sobre as iniciativas novas, sobre as inquietudes da mocidade, – indiferentes ou irônicas, tal como se julgassem donas autênticas da humanidade, projetando os seus ceticismos, os seus interesses, os seus vícios, a sua corrupção, em torno de si, como enfermidade sem extinção...

Esta mocidade que se reúne para tratar do problema educacional – o mais importante para qualquer povo que faz tenções de viver e evoluir – traz um estímulo tão significativo para o Brasil, que, ele só, vale pela garantia do espírito revolucionário integrado no sangue das gerações e infinitamente animando o corpo poderoso da pátria.

Rio de Janeiro, *Diário de Notícias*, 6 de dezembro de 1930

Uma recordação da juventude

As recordações da infância e da juventude são hoje um dos motivos mais constantes na realização da obra literária. A tendência moderna de fazer o pensamento caminhar sobre si mesmo, acordando cada emoção desse caminho, é uma nova forma criadora, bela e difícil, em que, por ser o autor a sua própria obra, necessita já possuir, realizada em si, uma quantidade de transcendência que possa permitir ser um fato artístico a sua simples memória.

É verdade que, às vezes, só a sutil passagem por esses distantes e misteriosos sítios do nosso mundo íntimo constitua uma excursão maravilhosa, pela riqueza do ambiente e a delicadeza de cada detalhe. Mas, além desse gosto da narração introspectiva, por ela mesma, os escritores mais artistas de hoje têm uma curiosidade psicológica e uma intuição quase metafísica iluminando os domínios que atravessam na sua aventura espiritual, tão difícil de relatar, depois, e tão difícil de ser entendida pelos temperamentos de outra estirpe.

Os escritores modernos pesam suas lembranças, graduam-nas, interpretam-nas, vivem dentro dos descobrimentos que realizam na sua silenciosa vida interior, trocando a mentira da realidade pela autenticidade do sonho.

São escritores para edições pequenas. Escrevem como em outra língua. Não se servem desse fácil prestígio da frase chamada lapidar e do verso exato em sílabas. Não querem ser prosadores nem poetas. Não querem ser literatos. Desejam viver a vida com transcendência. Escrevem por uma fatalidade, como a de falar e a de ouvir.

Há quem os ache desencontrados, incompletos, estranhos, loucos.

A vida é assim mesmo, com os seus minutos desiguais, suas causas desconhecidas, seus impossíveis, suas mudanças repentinas, seus desenlaces inesperados.

E a vida, para os artistas de hoje, é uma inspiração suprema.

El testimonio de Juan Peña, de Alfonso Reyes, o ilustre embaixador do México, que junta às suas qualidades de erudito os seus dons de artista finíssimo, é um livro vivido no tempo em que o seu autor lia Spinoza, com mais dois companheiros, aí por mil novecentos e... tantos, – diz ele.

Uma recordação da juventude. Da primeira juventude. Porque a vida de um artista é juventude permanente.

Recordação em que há uma índia tímida, uma questão de terras, o autor como juiz e Juan Peña como testemunha, com a nota inesquecível da sua roupa azul, trêmula de luz.

Entre a testemunha e o juiz palpita o mistério da vida, exatamente como naquele verso lindo em que o poeta pensava no mundo imprevisto que paira entre o violino e o arco.

E o juiz, que é a mocidade, ensaia as suas máscaras, indeciso, observando a vida, sem saber se ela, por sua vez, o está encarando com os seus olhos verdadeiros, ou com outros, enganadores.

Nessa atitude do jovem que recebe o testemunho de Juan Peña, com uma alta importância, acompanhado de seus dois companheiros, para tornar mais solene o caso, a gente está vendo todas as mocidades que nunca estiveram em igual serviço, decidindo sobre questões de terras, – mas assumiram a mesma fisionomia, e viveram os seus momentos mais inesquecíveis como quem representa um ato teatral.

Essa consciência da teatralidade, essa visão de si mesmo, como se o autor se deslocasse da sua personalidade e se visse à distância, dão ao *Testimonio de Juan Peña* um interesse especial, quando, além de o percorrer com o encanto que logo desperta uma obra artística, se o percorre também com essa curiosidade pelo problema humano, indissoluvelmente ligado, hoje, à observação educacional.

Ele nos revela mais um aspecto da psicologia juvenil, de inumeráveis faces.

Mostra-nos a surpreendente riqueza emotiva de uma idade ondulante como a água, e que contém em si todas as direções, como o vento.

Uma idade que reflete cada circunstância com perturbadoras minúcias, que sente até onde se pode sentir, medita o máximo que é possível meditar, e é capaz de velar os seus cenários profundos com palavras tênues, e gestos leves, por essa necessidade de segredo que cada um de nós leva consigo como uma característica espiritual. Uma idade que ama a aventura, por si mesma, pelos seus riscos e as suas surpresas. Uma idade em que se é livre e se tem pela liberdade um excepcional amor. Em que se para em frente de cada alma para a adivinhar, e saber se vale a pena ter vindo à vida. Em que se ouve cada resposta como uma nova pergunta. Cada testemunho como um pretexto para investigação não da verdade que os homens afirmam, mas da verdade que os homens são. E em que se faz a experiência de julgar junto com a experiência de crer, nutrindo desse jogo de ilusões, de certezas, de decepções e de triunfos aquela existência que vai ser, definitivamente estabelecida, com alguns desses elementos incertos que flutuam entre o mistério da sua própria origem, e os acasos de todas as oportunidades.

Rio de Janeiro, *Diário de Notícias*, 6 de março de 1931

O espírito da mocidade

A mocidade costuma ser generosa e independente, senhora dos mais largos e claros impulsos, amando a verdade apaixonadamente, encarando mais o futuro que o passado, vendo mais o próximo que a si mesma.

Porque a mocidade é uma força que transborda. Porque a mocidade é um desejo grandioso de dar, de servir, o mais amplamente possível, e da maneira mais dignificadora.

Excessivamente rica para se preocupar com a ideia de qualquer miséria própria, sentindo-se extraordinária, inesgotável, eterna, com essa crença maravilhosa de poder realizar até o impossível, – a mocidade faz da sua existência um impulso de projeção para o infinito, e imprime à sua alegria um ritmo que vence todas as distâncias e sobrevive a todos os tempos.

Só quando o homem sente que a sua força decresce é que se põe a economizá-la. Quando percebe que está declinando, faz esforços para não distribuir mais o seu poder. Teme extinguir-se. Horroriza-o a ideia de desaparecer, em meio às forças que se elevam em redor. Concentra-se. Detém-se. Reprime-se. O perdulário, o idealista, o sonhador, o esbanjador converte-se numa criatura sovina, interesseira, desconfiada, egoísta.

O homem belamente liberal, que ousara ter pensamentos de largos raios e palavras de fortes ímpetos, traça em torno de si um pequenino círculo, onde se encolha a sua própria sombra, para se ficar nutrindo devagarinho da energia que vai faltando, num conservadorismo sombrio e mesquinho.

É verdade que há homens que não envelhecem. Alimentaram-se tão bem de mocidade, souberam, de tal modo, fazer crescer com fervor a força vital que lhes animava o coração e o pensamento; captaram, de tal maneira, todas as vibrações que a vida esparge copiosamente; e aprenderam, tão bem, a multiplicar a sua riqueza, pelo processo de a dividirem, ilimitadamente, que pode vir a velhice do tempo, e atrás dela o talho fatal da morte – a mocidade do espírito resiste, porque se colocou firmemente numa atitude invencível e imortal.

Mas é verdade também que há moços de alma decrépita. Jovens que já o não são, porque os corrompeu o interesse de se sustentarem somente a si, de não levarem a seiva da sua vida além dos limites – já não sei se da sua alma ou apenas do seu corpo... A força vital que poderia ir tão longe ficou paralisada entre limites estreitos. Em vão a vida lhes dá caminhos ainda longos para percorrer. Já não darão mais um passo. Agarraram-se ao passado, mumificaram-se. E assim mumificados pensam ainda que estão vivendo... Mas todo o mundo que passa reconhece que ainda existem.

Mas já não vivem mais.

Em educação, é preciso que todos os administradores, todas as autoridades, todos os que tratam com a juventude saibam ser moços, para poderem tratar com ela, eficientemente. O regime da obediência passiva já terminou. Estamos no da solidariedade fraternal.

E é uma tristeza tropeçarmos a cada instante, – quando a mocidade se agita, cheia de sonhos de vitória e de esplendor, – com os que a todo custo querem retardar com o obstáculo dos seus cadáveres jazentes a marcha dos que gloriosamente se precipitam para o infinito das realizações de liberdade.

Rio de Janeiro, *Diário de Notícias*, 3 de maio de 1931

O mal de crescer

É um mal crescer. Crescer como a maior parte das pessoas cresce. Porque, desgraçadamente, todos os dias, se verifica a atualidade permanente daquela célebre pergunta: "Por que, sendo as crianças tão inteligentes, os adultos o são tão pouco?"

Ora, isto vem agora a propósito de uma simples reflexão, ao alcance de qualquer um.

Os adultos não podem ver uma criança correndo, que não lhe recomendem logo: "Olha que cais!" Por seu gosto, quereriam-na sentada, durante a infância inteira, se acaso não viessem a ficar preocupados de que, nessa posição, estragariam as calças rapidamente, como naquela anedota muito conhecida...

Mas, enquanto os adultos assim desejam ver a criança submetida a um interesse seu, – sem absolutamente se preocuparem em conhecer o dela, e muito menos o respeitarem, – vejam como a criança os vence em inteligência: é incapaz de exigir que os adultos se ponham a correr, em sua companhia, incapaz de exigir que façam alguma das coisas a que ela se dedica com o mais absoluto entusiasmo, e todo o seu decidido fervor.

Os adultos dizem à criança: a gente anda assim, pisa assim, olha para tal lado, faz uma cara como esta etc. – na sua ânsia, que julgam muito louvável, de amoldar a infância plástica a um determinado tipo que lhes convém ou agrada. No entanto, a criança é incapaz de pretender que os adultos procedam segundo qualquer tipo determinado. Não dizem às mamães nem aos papais, nem às avós, nem às titias que sejam diferentes do que são, – e nem se interessam por eles de modo a prejudicá-los na sua liberdade...

Muitos pais e professores gostariam (ainda nos tempos de hoje) que seus filhos ou alunos andassem sempre de livro em punho, ou de agulha nas mãos, ou de lápis entre os dedos... – todas as coisas que para o adulto são úteis, vantajosas, agradáveis, em suma.

Vejam, agora, se a alguma criança já ocorreu exigir que os adultos andassem com as mãos sujas de lama, com os bolsos cheinhos de cacos de vidro, com as gavetas recheadas de pedacinhos de papel, de figurinhas, de trapos, de fios de cor... E isso tudo são coisas que a criança acha belíssimas, de uma utilidade indiscutível, de um valor inigualável...

Os adultos ficam aborrecidos quando as crianças sobem às árvores. Mas as crianças não se zangam por eles não subirem...

É uma desigualdade pasmosa. De um lado, a liberdade, agindo, e deixando agir... Do outro, o preconceito, o servilismo, a ideia feita, o lugar-comum e não raro a hipocrisia, não só agindo como também querendo fazer agir...

Valha-nos a independência da criança, que a salva de alguns crimes de lesa-humanidade. Valha-nos a sua própria força vital que contraria, desvia, inutiliza as más influências dos adultos, concedendo-lhe uma verdadeira imunização contra os seus maus propósitos...

E, no entanto, os adultos se julgam tão superiores! Tão encarregados de mandar neste mundo, e, na medida do possível, até fora dele!

As crianças, não. As crianças não estão pensando nisso. Estão vivendo, realmente, a vida. Estão sendo, legitimamente, donas deste mundo e de todos os outros, criados e incriados. Dentro da sua pequena estatura, são criaturas imensas como o próprio Criador... Estão em tudo... E nelas tudo está.

Dizem que Deus criou o homem à sua imagem... Pretensões dos adultos. Criada à imagem de Deus não pode ter sido senão a criança...

Rio de Janeiro, *Diário de Notícias*, 24 de maio de 1931

A mocidade de hoje

O que eu noto nos moços de hoje, naqueles que realmente se podem chamar "alguém", é uma virtude forte e audaciosa de não se deixarem iludir por aparências e fórmulas, um desejo que, às vezes, chega a ser aflitivo de não serem elementos passivos entregues às intenções alheias, quase sempre estranhas às realidades convenientes.

Esta gente que vem agora quer estar de olhos abertos para o caminho que vai seguir, seja ele qual for, e custe-lhe o que custar. Quer ser gente responsável. E nisto vai o elogio talvez maior que se possa fazer à criatura humana.

Ser "responsável" abrange o conhecimento do passado e do presente e a previsão do futuro. Não o pode ser aquele que, por incapacidade, por negligência ou por força de ação exterior só conhece das coisas um determinado aspecto com uma particular interpretação. Mister se faz um conhecimento vasto e profundo de tudo, – o máximo possível – para que, do convívio de tantas experiências já vividas por outros homens, se deduzam essas escassas verdades que os passados séculos escravizaram dentro da sua sinistra opressão.

Não se pode exigir que seja responsável quem foi apenas fabricado segundo um molde – qualquer que seja – do agrado de terceiros, para fins que a esses terceiros interessavam.

Por isso, a mocidade de agora, que se deseja formar como uma onda poderosa que se afirma para um impulso eficiente na história humana, tem de bater-se conscientemente – e não levada também por terceiros, sejam quem for – pelos princípios que constituem a razão de ser inicial da Nova Educação.

A mocidade de agora, olhando para trás, encontra, marcando singularmente sua presença no passado, alguns vultos inspiradores que se destacam da massa anônima da multidão e ainda hoje se podem comunicar com ela, porque na sua antiga linguagem havia já esta mesma inquietude atual. Esses que assim estranhamente sobrevivem são aqueles raros que emergiram da passividade do seu tempo, querendo alguma coisa que foi tida como crime, heresia, utopia ou loucura, – apenas porque era o clarão, naquela sombra, a vida, naquela morte, a verdade, naquele fingimento geral.

Esses sacrificados, cuja glória é apenas essa sobrevivência, devem servir à mocidade como motivo de reflexão sobre o destino dos que lutam sozinhos com as multidões, mostrando-lhe, ao mesmo tempo, como é inútil ser um só a saber e a querer, e até mesmo a poder, se o inimigo é múltiplo, imenso, e trabalha subterraneamente, minando o terreno em que se quer construir.

É preciso que a humanidade não se divida tão nitidamente em multidões de ignorância e punhados de esclarecidos, para que as verdades destes poucos não sucumbam no peso bruto das legiões daqueles, infinitos.

A terra precisa deixar de ser um lugar de conflitos para se converter num campo de cooperação.

Como cooperar, porém, se as criaturas se acham separadas por diferenças tão grandes, que as tornam, mutuamente, hostis, humilhadas, invejosas, tirânicas?

A extensão cultural que permite a cada criatura elevar-se o máximo possível, a escola única, em que as vidas se encaminham por uma direção comum a todos, embora deixando a cada um liberdade para seus movimentos; a condenação de todas as imposições, sejam elas quais forem e venham de onde vierem, – pelo simples motivo de que não pode haver lei nenhuma, nem humana nem divina, que permita ao homem escravizar e inutilizar a alma (ou o que lhe quiserem chamar) do seu semelhante; e esse sentimento de solidariedade que tanto mais se afirma na terra quanto maiores são as desgraças que afligem, – eis alguns pontos que a mocidade de hoje há de estudar e, certamente, resolver.

Não o poderá deixar de fazer, se acaso situar seu ideal fora de si mesma, nesse transbordamento criador que é a definitiva alegria dos sonhadores e dos vencedores.

Não o poderá deixar de fazer também ainda quando julgue seu ideal em si mesmo, porque a própria plenitude individual não é nada senão pelos sistemas de harmonia que pode determinar em redor.

Rio de Janeiro, *Diário de Notícias*, 1º de setembro de 1931

"Mocidade – primavera da vida!..."

A mocidade pode mais do que as revoluções e do que as próprias leis.
Tudo emana dela, da sua esperança sem desânimos, da sua fé sem claudicações, da sua ideia sem preconceitos, do seu amor da pátria sem interesses.
Ao seu poder de renovação, à sua força criadora, à sua idealidade incontaminada, ao seu dever de formar o novo Brasil deu o governo uma casa. É uma nova oficina com pórtico de catedral. É a casa do nosso futuro.

Essas palavras são do dr. Osvaldo Aranha. O ministro da Justiça acaba de escrevê-las a propósito da Casa do Estudante.

Debaixo da suntuosa forma literária, sente-se o comovido pensamento de um chefe revolucionário que já pôde apreciar de perto o valor da mocidade, e não lhe pode negar a sua admiração.

E, como, à sinceridade do ministro da Justiça, se aliou a boa vontade do chefe do governo, favorecendo a brilhante iniciativa entre nós empreendida em benefício dos estudantes, mais aflitivo se torna o contraste dessa compreensão dos que os protegem com a incompreensão dos que contemplam sem inquietude a difícil situação da Escola Nacional de Belas-Artes.

A mocidade – acaba de dizer o ministro – *pode mais do que as revoluções e do que as próprias leis.*

Belas palavras. Mas até onde já comprovadas?

A mocidade pode mais do que as revoluções – mas esses obstinados estudantes de Belas-Artes que se mantêm em greve, defendendo um ponto de vista, ainda não conseguiram realizar a revolução de ideias de que carece o Ministério da Educação para entender a posição exata que deve assumir nesta conjuntura.

Pode mais do que as próprias leis. Vamos ver. E que melhor maneira de o provar que conseguindo destruir esse sinistro legado do sr. Francisco Campos, esse tétrico símbolo de opressão, de ódio, de violência e de ignorância que é o decreto do ensino católico?

Tudo emana dela, continua o dr. Osvaldo Aranha. E realmente assim é. Mas, quando lhe permitem que seja uma autêntica mocidade. Mocidade sem a fraude dos compromissos e das transigências que têm sido a corrupção do Brasil político.

Da sua esperança sem desânimos – mas todos os dias tentam desanimar--lhe a esperança...

Da sua fé sem claudicações – mas os que vieram antes dela todos os dias lhe estão mostrando o seu exemplo como a pior das desilusões...

Da sua ideia sem preconceitos – mas, imediatamente depois de um triunfo revolucionário que não pode ser uma retrogradação, os preconceitos se levantaram de todos os lados procurando enraizar-se no solo recentemente revolvido, e o governo ainda não se decidiu a romper com o preconceito, em nome do próprio espírito revolucionário responsável por todas estas atuais transformações.

Do seu amor da pátria sem interesses – mas a mocidade vê, em torno de si, os interesses crescendo na sombra, e colando à face a máscara do amor da pátria, do próximo e de Deus...

Se o governo, pois, ofereceu à mocidade, por essas qualidades todas que representa, a Casa que a abrigará como ao próprio futuro do Brasil, – não fez, ainda, presente completo. Não lhe ofereceu, conjuntamente, a garantia de que se poderá salvar dentre as dificuldades que a hipocrisia, a traição, a venalidade e o ódio todos os dias lhe poderão insidiosamente opor.

Acredita o governo que a mocidade é bem forte para se salvar sozinha? Até certo ponto é possível. Mas, a que não se salvar é obra da situação ambiente.

Não é com contos de réis que se demonstra compreender a mocidade nem a vida. É com o pensamento. É com o tato de criar e preservar atmosferas educacionais. Embora com a sua Casa, os estudantes continuarão desamparados, se as belas palavras do ministro não procurarem ter uma objetivação mais eficiente.

Viver amanhã num palácio com ideias de dois séculos atrás é mil vezes pior que andar dormindo ao relento com a liberdade de saber e poder ser uma criatura humana, em toda a sua integridade e para um destino sem limitações.

Rio de Janeiro, *Diário de Notícias*, 28 de outubro de 1931

Código do Estudante Brasileiro

A Casa do Estudante acaba de distribuir o seu Código do Estudante Brasileiro, que diz:

I – O estudante brasileiro sabe que só se distingue do meio social pelas responsabilidades oriundas da cultura que recebe e das oportunidades que tem para prestar relevantes serviços à coletividade, cabendo-lhe a iniciativa ou cooperação nos movimentos em que a sua participação seja profícua.
II – O estudante brasileiro tem por primeira obrigação o zelo pelos seus estudos e o respeito honroso que troca pela delicadeza e devotamento dos mestres e superiores.
III – O estudante brasileiro tem como lema o ideal de *servir*.
IV – O estudante brasileiro modela a sua personalidade na modéstia, simplicidade, lealdade, cortesia e probidade.
V – O estudante brasileiro é o símbolo da *cooperação*.
VI – O estudante brasileiro compreende com tolerância os que não lhe comungam as ideias ou práticas, não transigindo, porém, com os injustos, exploradores e espoliadores, contra os quais estará sempre em defesa dos pequenos, dos oprimidos, dos desamparados.
VII – O estudante brasileiro é o vanguardeiro do aperfeiçoamento da raça, da grandeza material, do progresso intelectual e do aperfeiçoamento moral do povo brasileiro.
VIII – O estudante brasileiro cultiva o nacionalismo como meio de atingir o congraçamento universal.
IX – O estudante brasileiro é irmão dos moços que estudam e trabalham no mundo inteiro.
X – O estudante brasileiro sacrifica tudo em defesa destas afirmações.

É sempre uma grande alegria auscultar o sentimento e o pensamento da mocidade, principalmente da mocidade favorecida, que pode estudar e, sem dúvida, conhece os seus deveres para com todos os jovens que, pelas circunstâncias amargas da vida, foram sacrificados nas suas possibilidades de acréscimo intelectual.

Os estudantes que redigiram o código acima empregaram duas palavras profundamente importantes, na hora atual: *servir* e *cooperar*.

Num país em que ainda há superstições de elite, e em que as recentes lutas e obras educacionais não aboliram de todo as presunções, o gosto do adjetivo e o delírio das vaidades, – uma juventude que se oferece para servir assume um compromisso elevado com a opinião pública, e particularmente com os seus companheiros de idade, que são também os seus companheiros de vida.

O compromisso de servir exige uma atenta vigilância da parte de quem o afirma, e uma constante inquietação de agir. Não se serve só com intenções. Serve-se com a definição de atitudes, com a lealdade de pensamentos e palavras, com o esforço diário de despersonalização, de humildade, de modéstia, de verdadeiro e inabalável amor.

Servir é, assim, a mais difícil das coisas. Mas também a mais bela de todas, pelo que representa de transfiguração do indivíduo, pelo que é para além dele, – nesse transbordamento de poderes que só os fortes, e os grandes e os eternamente jovens corações conseguem ter.

Escolhendo essa palavra para seu lema, os estudantes brasileiros revelaram o que os educadores sempre esperam da mocidade fervorosa: um desejo de trabalho eficiente e desinteressado, que encontra, na própria sinceridade dos resultados que se verifiquem, tanto os seus estímulos como a sua satisfação. Revelaram a sua independência em relação a todas as banalidades presunçosas. Quiseram ser simples e bons. Uma coisa que nem todos querem, e nem todos podem.

Por essa palavra, que assim escolheram para si mesmos, os estudantes do Brasil conquistaram um novo lugar na admiração dos que os contemplam. Nunca foi tão evidente a promessa evangélica: *servir* é a única maneira de conquistar poderes maiores. E os estudantes saberão que esses poderes, vindos de um sonho tão nobre, não podem nunca trair sua origem, nem perder as virtudes que a mocidade de hoje reconhece necessárias ao mundo, e imprescindíveis ao equilíbrio da sorte humana.

Rio de Janeiro, *Diário de Notícias*, 10 de setembro de 1932

O movimento universitário

O movimento universitário que neste instante se esboça vem trazer para o quadro das nossas realidades mais um elemento que até aqui se tem procurado esquecer ou desconhecer: o estudante.

Estudante quer dizer mocidade. E mocidade significa um momento único da vida, fora do qual, para o adulto, não há mais que pretensão e rotina. Mocidade não quer dizer precisamente vinte anos. Mas quer dizer espírito de vinte anos. Disposição criadora. Confiança. Entusiasmo. Desinteresse. Lealdade dos que são fortes. Sinceridade dos que desejam alguma coisa. Dignidade dos que se deslimitam, dos que não se encerram num círculo mesquinho para nutrir avaramente sua mesquinha pessoa.

Até bem pouco, entre nós, os movimentos estudantis não tiveram senão um caráter de protesto que significa ação, é verdade, mas ação puramente de defesa. E como o bom humor que tão vivamente se manifesta na juventude empresta a todos os seus empreendimentos um ar de aventura e displicência, os adversários se contentavam em satisfazer qualquer dessas exigências ruidosas com um gesto pacificador, e uma frase que podia ser assim: "Rapaziadas... Bom tempo, que não volta! Quando era daquela idade, também fiz das minhas..."

Filosofia de engraxate. Ruminação de lente rotineiro, de cabeça derreada no crochê da cadeira de balanço, com o palito na boca prolongando a delícia da digestão.

Essa ruminação, essa raquítica filosofia – lugar-comum dos que não são mais jovens e detestam, por isso, a juventude – é que os movimentos universitários precisam extinguir, para se poderem afirmar como a representação mais autêntica da vida.

Realmente, à parte a mocidade, – encarada com a amplidão que acima se define, – que existe no mundo que tenha uma significação positiva?

A infância é uma possibilidade, ainda sujeita às deformações que lhe resolvam impor. A decrepitude (que muitas vezes já vem da infância, e outras sobrevêm aos vinte anos), a decrepitude, considerada como um esgotamento, uma incapacidade, uma inutilização, é menos que a infância, porque já nem sequer possibilidade nenhuma vem a ser.

Resta a mocidade. A mocidade moça. A mocidade que tem consciência de si. A mocidade que se sabe situar harmoniosamente no lugar de participação que lhe cabe na vida. O mais importante lugar, quando ela o compreende profundamente e o procura preencher com plenitude.

Mocidade que não procura a sua definição, que não alarga caminhos claros para saber quem é e o que está sendo; mocidade que se dobra a conveniências inferiores, que nega seus ímpetos divinatórios para se submeter a pequeninas vantagens temporárias; mocidade que vence a expansão gloriosa de si mesma, com razões anacrônicas úteis apenas aos seus inventores; mocidade que fecha os olhos e se entrega rendida a quem a queira conduzir, – para não se dar ao trabalho de escolher entre mil caminhos aquele que é o adequado, não é mais mocidade: é velhice precoce.

Mas não basta afirmar que a mocidade é isto e aquilo. Todos os discursos vêm sempre recheados dessas palavras, embora quem os pronuncia seja, fora do instante do discurso, o maior inimigo da mocidade.

Assim como se está sempre dizendo da criança que é um mimoso botão de flor, um astro cintilante, um sorriso da alvorada, e outras coisas desse gênero, também a mocidade é o zênite, é o esplendor, é a primavera etc.

Acabados os discursos, infância e mocidade ficam sem saber que hão de fazer com os epítetos. Temos, pois, que precaver a ambas da inutilidade das frases dos feriados. Infância e mocidade precisam ser respeitadas. Tem de acabar este tempo de mendicância em que a gente se envergonha de ser novo, quando tem de pensar, de sentir, de querer e realizar, simplesmente porque está mais ou menos convencionado que isso cabe aos mais velhos... E os mais velhos todos os dias nos demonstram que o seu tempo de dar foi a mocidade, e que esse tempo passou, incompreendido, irrealizado, contrariado ou apenas fragmentado e agora já nada mais se pode fazer. A estirpe dos cidadãos paternais, que com voz suntuosa dão uma palmadinha amável no ombro dos moços e lhes dizem duas frases céticas e idiotas a respeito da vida, precisa extinguir-se até o fim.

De tudo isso precisa cuidar a mocidade de hoje. E como? Simplesmente. Sem massacres, sem hecatombes. Afirmando-se. Realizando-se. Querendo alguma coisa. Sabendo querer. Procurando o que quer.

Com essa altiva atitude de quem só com a força da juventude animada por uma aspiração própria se apresenta em face da vida e se impõe, os moços de hoje são capazes de realizar até o prodígio de animar outra vez muita gente acomodada pelo tempo numa posição passiva, e que, parecendo estar morta, está mergulhada apenas nesse torpor dos inativos tão fatal aos que podem agir...

Um movimento universitário pode e deve cuidar de problemas urgentes como esses que agora agitam os estudantes. Mas não pode nem deve deixar de cuidar desse problema preliminar de definição de atitude e de vontade, porque é dele principalmente que deriva o sentido da sua emancipação de todos os outros problemas.

Rio de Janeiro, *Diário de Notícias*, 4 de setembro de 1931

Escrúpulos?...

A Reitoria da Universidade acaba de informar que será distribuída, em breve, uma publicação enfeixando os programas dos cursos e conferências de extensão universitária por ela organizados, e que, para essa publicação, o professor Fernando Magalhães escreveu as seguintes palavras explicativas:

> A Universidade do Rio de Janeiro realiza a primeira série de seus cursos de extensão. Quarenta e dois cursos e trinta conferências. A não ser as velhas universidades, ou as opulentas, poucos institutos conseguem tão importante movimento cultural. Onde, porém, a Universidade do Rio de Janeiro alcança o primeiro plano é na significação do alto espírito de desinteresse dos seus professores. Todos estes cursos e conferências realizam-se sem remuneração, nem aos que ensinam nem pelos que aprendem.
> Já é um grande exemplo e um grande conforto. Talvez seja mesmo a mais notável e mais educativa lição que a Universidade poderia proporcionar em toda a sua atividade.

Talvez o reitor tivesse falado melhor desses cursos se, em lugar de dizer o seu número, tivesse enumerado as suas qualidades. Não estamos fazendo, aliás, nenhuma crítica a essas qualidades. Mas parece-nos que em matéria de educação não é só a quantidade que influi... Talvez não seja mesmo a quantidade... *Quarenta e dois cursos e trinta conferências...* – diz o reitor. Mas não informa, com um adjetivozinho tranquilizador, de que espécie foram ou estão sendo essas conferências e esses cursos. Os próprios professores teriam certo direito de se sentir magoados, se isto de ser professor já não fosse mesmo sinônimo de ser mártir...

O único valor que esses cursos têm, como se pode depreender da nota transcrita, além de serem muitos, é serem gratuitos e sem remuneração. Valor que parece extraordinário ao reitor, a ponto de o fazer escrever que "a Universidade do Rio de Janeiro alcança o primeiro plano na significação do alto espírito de desinteresse dos seus professores".

Que o ensino seja gratuito não é favor, é obrigação. O professor Fernando Magalhães não pode desconhecer um preceito desses, fundamental, no significado da educação moderna. Logo, – e ainda mais tratando-se de cursos de *extensão* universitária, isso não é motivo de glória para ninguém... Até fica esquisito chamar a atenção para uma coisa assim...

Agora, que os professores não sejam retribuídos ainda é pior. Porque quem trabalha deve ser remunerado. Em vez de louvar esse acontecimento, o dr. Fernando Magalhães devia deplorá-lo, dizendo, por exemplo: "Lamentamos, apenas, não poder retribuir os professores em atividade etc."

(Eu não tenho nenhum parente lecionando...)

E como a gente não vai agora admitir que tudo isso seja desconhecimento – da parte de um reitor! – de pontos comezinhos da compreensão educacional, chega-se a este pensamento: provavelmente, o dr. Fernando Magalhães, depois dessa vasta iniciativa – *quarenta e dois cursos e trinta conferências!*, – sente o escrúpulo de se ver acusado de estar esbanjando a riqueza nacional.

Pois antes a esbanjasse. Esbanjar em educação é economizar.

E aqui se nota outra incomparável incoerência do reitor. Os governos que empregaram mal os dinheiros públicos nunca se lembraram de ter esse escrúpulo vendo acumularem-se as cifras diante das iniciativas mais escandalosas. E o bom povo olhava e sofria, sem protesto.

No momento em que se devia aproveitar para redimir esse povo dos seus sofrimentos, fosse por que dinheiro fosse – e redimi-lo é apenas educá--lo, – surge um reitor contando a grande proeza de ministrar educação sem gastar...

Francamente, chega a ser ingênuo. E o povo tem o direito de duvidar da qualidade de um ensino que assim é ministrado, ou de cair na outra ponta do dilema, que é duvidar do proclamado desinteresse dos professores, prevendo aproveitamentos futuros, quando chegar o momento de se falar nos já célebres *direitos adquiridos...*

(E por estas últimas palavras, quem não acreditou no parênteses de cima tem de ficar acreditando que eu não tenho mesmo nada com estes setenta e três cursos e conferências tão originais...)

Rio de Janeiro, *Diário de Notícias*, 29 de maio de 1932

O caso dos estudantes pernambucanos [I]

O caso dos estudantes pernambucanos entrou, agora, em uma fase extremamente grave, com a requisição, que asseguram ter sido feita, pelo diretor da Faculdade de Direito, de força armada para resolver a greve sustentada há vários dias.

Quando esses moços não tivessem nenhuma razão que os tornasse dignos de simpatia, o simples fato do diretor de uma faculdade pensar resolver por esse processo uma greve pacífica seria suficiente para definir os dois campos em luta.

Afinal de contas, ainda não se compreendeu esta coisa simples: que a educação não pertence a quem a dá, mas a quem a recebe. Os estudantes têm o direito de julgar sobre a sua própria situação, escolhendo a que lhes pareça mais acertada. Quando não o podem fazer, por impossibilidade de julgamento – como no caso da escola primária, – o professor tem a obrigação de lhe garantir a mais rigorosa neutralidade de atitudes, justamente para o livrar de imposições estranhas aos seus verdadeiros interesses. Não estão nesse caso os universitários, que, com a admirável clarividência da mocidade – ainda quando alguma paixão a perturbe transitoriamente, – podem e devem escolher o caminho por onde desejam seguir para os conhecimentos que procuram.

Firmou-se na retina dos professores um amor próprio intransigente que a Nova Educação terá de esclarecer e orientar: convencidos de que são os oráculos dos jovens, supondo, com uma sinceridade certamente extraordinária, que só a sua experiência vale alguma coisa, e que o mundo que palpita em redor de si não tem nem ideais nem significação, eles ficaram vendo a educação como propriedade sua, e reservaram-se o direito de a aplicar de acordo com a sua opinião, indiferentes à dos que a recebem, num desvio gravíssimo da compreensão do seu exato dever.

Tanto é assim que não se vê sem grande relutância a desistência de um professor diante da hostilidade manifesta dos alunos. Seria tão simples atender à sinceridade de quem não quer aceitar determinados guias, nem se sujeitar a determinadas ideias, nem suportar determinadas orientações! Para que levar as coisas ao extremo do ridículo, tentando fazer aceitar à força um imaginário prestígio que se não tem?

Os estudantes pernambucanos, há vários dias em greve, pedem a exoneração do diretor da faculdade. A congregação, tendo estudado o caso – certamente como o costumam estudar as congregações – e para não agravar, naturalmente, a situação do diretor, optou por este, e declarou não encontrar motivos para o dissídio.

Os estudantes, porém, não querem voltar para as aulas com o diretor que lá está. E então este, num assomo de genialidade, teria imaginado resolver a greve com a intervenção da força armada. É o que vem num comunicado da Agência Brasileira.

Pergunta-se: pelo projeto de solução a dar ao caso, não se está vendo o ponto de vista errado do diretor da faculdade?

Será possível que se leve o capricho de não sair de um lugar a ponto de perder o controle da própria orientação educacional?

Ou essa orientação não existe mesmo, e nesse caso estão de novo com a razão os estudantes de direito?

Como se vê, não há por onde fugir. E, na mais inocente das hipóteses, é o próprio conceito de educação que anda sendo gravemente ofendido na Faculdade de Direito do Recife.

No entanto, esses moços já apelaram para o ministro Francisco Campos, segundo comunicados anteriores, publicados logo depois de se estabelecer o conflito, e denotando, nos estudantes, um intuito de resolver com brevidade a questão.

Recorrer à força armada para terminar um choque de ideias parece, além de falta de poderes para argumentar, uma desigualdade de recursos reprovável e inoportuna.

Por que o ministro Francisco Campos não decide sobre o caso, com imparcialidade de pensamento, e sem essa má vontade que costumam ter pela mocidade os que a detestam nos outros, talvez porque não a souberam honrar em si?

Rio de Janeiro, *Diário de Notícias*, 15 de junho de 1932

O caso dos estudantes pernambucanos [II]

O caso dos estudantes pernambucanos continua a ser o mais importante, deste momento, no terreno educacional.

Tendo o diretor, a fim de pôr termo à situação reinante, e malgrado o caráter pacífico da greve, solicitado a ocupação militar da faculdade, o Diretório Acadêmico redigiu um manifesto endereçado à nação, no qual se expõe o contraste de atitudes de estudantes e professores, responsabilizando o sr. Virginio Marques pela sorte da mocidade à mercê da sua violência e da sua obstinação.

Para se compreender melhor o ponto de vista dos moços pernambucanos, vale a pena considerar certos trechos do seu manifesto:

> Não obstante essa atitude de cordura, que preside e orienta a atual greve dos estudantes, o professor Marques, em flagrante contradição com a sua palavra empenhada perante vários professores, requisitou a polícia militar para intervir na Faculdade de Direito, sob a tendenciosa alegação de que um grupo de alunos impedia acintosamente o funcionamento das aulas e a livre entrada dos que as pretendiam assistir.

Ora, mais que a ocupação militar é, visivelmente, a falta por parte do diretor à sua palavra empenhada, o que preocupa os estudantes. Porque, mais adiante, o manifesto insiste, depois de relatar um entendimento havido com outro professor e o sr. Virginio Marques:

> Tornando ao gabinete da Diretoria, voltou logo depois o professor Barreto Campello, nessa ocasião acompanhado do professor Andrade de Bezerra, que aos presentes afirmou o seguinte: "O diretor deu-me a sua palavra de honra de que não requisitaria nenhuma intervenção de força e, confiando nesse juramento, acrescentou: nem em 24 horas nem em 24 anos".

No entanto, a ocupação militar foi solicitada, em ofício, à Secretaria da Justiça.

E os rapazes, traídos nessa confiança que a mocidade costuma ter nos sentimentos de lealdade, sentiram toda a desilusão que é, também, possível ter diante de um professor que perdeu o seu necessário prestígio.

> Nenhuma providência mais inferior nem mais injustificável que essa. Não só porque desenobrece o padrão de honra cultural da Faculdade de Direito do Recife, como também projeta ao público do Brasil a queda moral de um homem que, desmemoriado, deixou de respeitar a sua palavra de honra perante uma geração.

Um homem que deixou de respeitar a sua palavra de honra perante uma geração: assim ficou definido o professor Virginio Marques. Definição terrível. Definição que tira todas as esperanças de qualquer reabilitação. Porque é a vida que protesta, pela boca dessa mocidade, contra a mácula que sobre ela projetou o erro de alguém que, como professor, tinha de ser, antes de tudo, um defensor incansável da exatidão perfeita da vida.

O manifesto do Diretório Acadêmico

> endereça a todos os homens de responsabilidade do país o seu protesto coletivo contra o ato do professor Virginio Marques e responsabiliza s. s. perante as altas autoridades do Estado e da Nação pela sorte de cada um de seus colegas da faculdade e pelo que venham eles a sofrer em virtude dessa intervenção militar solicitada.

Oxalá possam "os homens de responsabilidade do país" entender bem que o seu gesto vem movido por um impulso denodado e altivo, em que o Brasil inteiro deveria sentir a força e o alcance de poderes novos que se rebelam contra um passado que os decepciona pelo amor a um futuro que desejam fazer mais belo, mais verdadeiro e mais alto.

Rio de Janeiro, *Diário de Notícias*, 16 de junho de 1932

quarto núcleo temático
PROBLEMAS GERAIS DO MAGISTÉRIO, MÉTODOS E TÉCNICAS DE INVESTIGAÇÃO PEDAGÓGICA

As férias de junho

Iniciaram-se as férias de junho. Tem o professorado diante de si quinze dias de repouso, longe dos alunos, isento das obrigações diárias de comparecimento à escola e exercício do cargo.

Como empregar o tempo, nesse pequeno período, de modo que, ao mesmo tempo que favoreça as suas condições físicas para melhor desempenho das suas funções, esteja também defendendo as suas condições técnicas das surpresas que os dias que passam vão oferecendo aos que se esquecem da sua passagem?...

Muitas professoras se queixam do parêntese destas férias, logo no começo do ano letivo, quando os trabalhos, ainda recentemente começados, se veem de súbito interrompidos, prejudicando, de certo modo, a sequência dos interesses da classe...

O que é verdade, porém, é que os interesses se renovam constantemente, que a própria arte de educar consiste precisamente nisso, em colher os que aflorem à alma tão rica da criança, e sustentá-los, desenvolvendo-os, embelezando-os, sem perturbar ou constranger a sua duração, além dos limites que a própria criança lhe conceda.

Costuma-se também dizer que, após dois ou três meses, apenas, de aulas, não se justifica esse repouso, mais adequado se no meio do ano letivo.

Mas, justamente porque vem num momento em que ainda o professor não sente a fadiga que exige descanso total, nada mais agradável que empregar esse tempo variando de ocupações dentro da mesma preocupação pedagógica.

Descansar é mudar a posição da atividade.

Quem, até o último dia de aula, neste primeiro período letivo, esteve aplicado no convívio da classe, conhecendo-a, conduzindo-a, atuando de perto sobre ela, poderá, de longe, medir os resultados obtidos, compará-los com os das experiências que a copiosa literatura estrangeira e já agora nacional também nos vai diariamente trazendo, numa inestimável vulgarização de doutrinas e métodos.

Estar sempre vigilante ao que se passa nos terrenos da educação moderna, tão revolvidos neste momento, tão semeados e tão produtivos, é uma necessidade do educador atual, responsável pela mais grave questão de todos os tempos: a formação da humanidade.

Para que não lhes aconteça o que sucede a professores descuidados que estacionam nos conhecimentos adquiridos num passado de rápida velhice, desejaríamos que estes quinze dias de folga fossem quinze dias de repousante estudo.

Rio de Janeiro, *Diário de Notícias*, 18 de junho de 1930

O serviço das substitutas

As substitutas são normalistas diplomadas e ainda não nomeadas para o cargo de adjuntas, cuja função é substituir estas, nas suas faltas. Substituir não é apenas ficar no lugar da pessoa ausente, quando se trata de matéria educacional. Substituir é procurar suprir essa ausência, integrando-se no espírito da pessoa que se substitui, é procurar ser uma sua continuação, de modo que não se perturbe a orientação seguida pela classe, e não se prejudique ou dificulte a eficiência de quem, por qualquer motivo, se viu forçado a interromper sua atividade de professor.

Infelizmente, nem sempre assim acontece. Nem sempre as substitutas, posto que sejam, comumente, moças cheias de boa vontade e interesse em desempenhar as suas funções, trazem realmente à classe o proveito que se desejaria, nos casos de afastamento de professoras.

Postas numa situação que, para elas, não é bem definida, formam, dentro do magistério, como que uma classe à parte, de que, em geral, não se exige o mesmo que às professoras, atendendo a que não tem positivamente as mesmas responsabilidades. Esse é um dos erros. As substitutas são tão professoras quanto as adjuntas. O fato de não estarem em exercício constante não altera de modo algum as atribuições da sua condição. Aceitaram ou escolheram uma carreira que exige de todos os que nela ingressam as mesmas obrigações. Cumpre-lhes progredir dia a dia, dentro dela, cumpre-lhes acompanhar a evolução do ensino, estar ao corrente de todas as inovações pedagógicas, a fim de poderem, em qualquer caso, assumir a direção de uma classe compreendendo como o devem fazer.

Acontece, porém, que, em muitos casos, a substituta é um produto do meio. Chegando à escola nos dias em que não tem a quem substituir, dá-se-lhe a fazer algum trabalho secundário, ou para não a deixar inativa ou para auxiliar qualquer tarefa em atraso. Outras vezes, ela mesma se adapta ao convívio de uma determinada professora e estaciona como sua ajudante, nos dias desocupados. Isso é diminuir as suas possibilidades de estímulo e de desenvolvimento. Afastar-se da vida ativa própria do cargo, reduzir-se ao papel de simples ajudante é compreender mal a sua condição e prejudicar-se. Mas, o que ainda é mais grave, é prejudicar o interesse da escola em bem servir à criança.

Chamada para substituir esta ou aquela adjunta ausente, a substituta que se tem desviado da sua função de professora não a poderá desempenhar com eficiência.

Limitar-se-á a encher com alguma coisa, de algum modo, as horas que tiver de passar com a classe. Faltar-lhe-á o conhecimento direto das crianças, porque não conviveu com elas, porque não as observou, reservando-se para fazê-lo "quando for nomeada..."

Mais útil seria se as tivessem feito conviver cada dia com uma turma, para que se pudesse adaptar a qualquer delas, sabendo a feição que cada professora imprime à classe que rege.

Assim, talvez não acontecesse ouvir, às vezes, a professora a um aluno, já viciado pela rotina: "Que bom! Quando a senhora falta, a substituta passa no caderno dez contas de cada qualidade, para a gente fazer!..."

Rio de Janeiro, *Diário de Notícias*, 20 de junho de 1930

Ensino secundário

O ministro da Justiça acaba de baixar novas instruções relativas às matrículas e transferências de alunos do Colégio Pedro II.

Para compreender-se exatamente o que o ministro determina – citando copiosa legislação – seria necessário consultar-se uma biblioteca enorme, a menos que se tivesse, na cabeça, um arquivo completo de decretos e regulamentos.

O ensino secundário sempre foi, no Brasil, uma contínua confusão, agravada, ainda mais, nos últimos anos, pois desde a Reforma Rocha Vaz ninguém mais se entende em matéria, sobretudo, de regulamentação.

Cada vez mais o estudante e o professor têm de destrinçar o emaranhado inextricável das portarias e instruções, com que a sua vida vai-se complicando todo dia, sem vantagem para o ensino.

Bem oportuna é, portanto, a iniciativa que o deputado Maurício de Lacerda, conforme já publicou o *Diário de Notícias*, promete tomar brevemente no sentido de ser criado um Código Nacional de Educação, para resolver, de uma forma geral, todos os problemas do ensino primário, secundário, profissional e superior, porque é indispensável uma providência urgente, que organize, regularize, e, principalmente, modernize o sistema de preparação das novas gerações brasileiras.

Rio de Janeiro, *Diário de Notícias*, 2 de julho de 1930

"A Escola Paulista"

A propósito da 3ª Conferência Nacional de Educação, que se reuniu em São Paulo, o professor Sud Mennucci escreveu um artigo sobre a "Escola Paulista", que provocou uma palestra do dr. Renato Jardim, ex-diretor de Instrução Pública daquele estado.

Essa palestra, por sua vez, originou uma polêmica entre os dois professores, que constou de uma série de artigos publicados em O Estado de S. Paulo, sendo o derradeiro do dr. Sud Mennucci.

Por iniciativa de um grupo de professores, e em homenagem ao seu autor, acabam esses artigos de ser publicados em *plaquette* que merece ser lida pelos que se interessam pelos problemas educacionais brasileiros, pelo entusiasmo, pela vibração, pela fé que transmitem essas páginas simples e enérgicas.

Depois de ventilar várias questões atuais, de comentar os métodos pedagógicos empregados, e o método "analítico-sintético" da Escola Paulista, de criticar a aplicação de testes impróprios para as crianças daqui, tem o professor Sud Mennucci uma passagem tão eloquente sobre o professorado paulista e sobre a personalidade brasileira que neste momento se elabora, que aqui a transcrevemos respeitosamente, louvando o espírito idealista e veemente que a anima, e que deve inspirar todo o nosso povo, para a consciente realização de si mesmo:

> Os nossos professores, apesar de mal pagos, apesar de receberem alunos com insuficiente preparação pré-escolar, apesar do pouco tempo destinado à efetivação do ciclo escolar, apesar das classes numerosas (40 é o máximo... mas 45 é a praxe) ainda aceitam que os diretores organizem as classes sem a menor preocupação seletiva, preceito este tão recomendado e tão seguido nas escolas ativas.
> Uma classe paulista é a mais acabada salada que se pode imaginar. Não há apenas as diversidades comuns de níveis mentais. Há também as diferenciações raciais. É comezinho encontrar, num conjunto interessantíssimo, italianos, húngaros, alemães, portugueses, poloneses, es-

panhóis, japoneses, romenos da Bessarábia, letões e russos. E, dentro de cada uma dessas nacionalidades, as mil características regionais, em que se extremam os povos de uma terra como a europeia, caldeada em séculos de incursões e de invasões. E com classes assim heterogêneas e heteróclitas, lutando contra todas as desvantagens advindas de um departamento público em que a economia sempre foi a regra para as suas consignações orçamentárias, os professores de São Paulo conseguiram o milagre de tornar as suas lições atraentes e procuradas, queridas e amadas.

Mais uma prática contra as leis da maior eficiência do trabalho, – vão gritar os inovadores.

É possível. Mas também, mais uma prática útil, utilíssima para a nacionalização da nossa população infantil, amalgamando-a num todo que terá de ser harmônico muito mais depressa do que se pensa. Com a nossa política sistemática de aproximar, dentro do mesmo ambiente, os descendentes das raças mais díspares da terra, o descendente do africano com o legítimo asiático, o americano com o europeu, foi-se forjando essa mentalidade ampla e larga e essa insatisfação e curiosidade, que são as características do tipo étnico que se está caldeando aqui. Daqui há de sair o tipo mental do homem sul-americano, diferente e diverso dos demais existentes, tendo no cérebro a compreensão dos mais largos horizontes e, no coração, as maiores aspirações de liberdade. O contato de todos os povos, de todas as psicologias, dará ao nosso intelecto uma supremacia incontestável.

Qual é a escola europeia, por mais bem organizada, que tenha de enfrentar problemas iguais a esses e que possa, portanto, nos ajudar com o estímulo de sua colaboração, se elas todas ignoram até que esses problemas existem?

E devemos nós andar atrás de fórmulas e receitas alheias, quando o nosso caso em nada se parece com o daqueles que pretendemos imitar?

Deixemos a mania da cópia e convençamo-nos de que o nosso problema só nós o poderemos resolver. Façamos disso um ponto de orgulho nacional.

Rio de Janeiro, *Diário de Notícias*, 17 de julho de 1930

Conferências pedagógicas

Um dos benefícios diretamente decorrentes da Reforma de Ensino foi o grande impulso dado às conferências de caráter pedagógico, promovidas, quer por associações, quer por particulares, com o intuito de divulgar o que de mais recente existe em matéria de ensino, e sugerir o que se pode adaptar ao nosso meio.

Sejam quais forem as falhas dessas iniciativas, o certo é que, pelo simples fato de agitarem problemas atuais, de urgência, inadiáveis, são dignas de todo o louvor e estímulo.

O que mais nos surpreende, porém, é o reduzido auditório que se consegue reunir todas as vezes que se realizam conferências dessa natureza.

Quando, há tempos, a Diretoria de Instrução organizou aquela série do Instituto de Música, é verdade que tivemos salas cheias, tanto de gente quanto de comentários mais ou menos pitorescos, desencontrados e de uma originalidade inacreditável.

Depois, toda aquela assistência se refugiou não se sabe onde. E não há nada que a possa fazer sair de onde se encontra.

Há conferências na Politécnica, no Syllogeu, na Escola de Belas-Artes, na Associação Brasileira de Educação, na dos Empregados do Comércio, na Cruzada pela Escola Nova, na Associação de Professores Primários: parece até uma experiência para ver que salão agrada mais. No entanto, apesar das tentativas pacientes, da diversidade do assunto, da variedade de conferencistas, da cooperação do cinema – o auditório é aquilo que se vê...

Por que será?

Desinteresse do professorado não pode ser. Não pode ser, porque, ao mesmo tempo, todos os dias se noticiam reuniões de copo de leite, de prato de sopa, de caixa escolar, de círculo de pais, de comissões de exposição, de cruz vermelha, de atividades sociais, de cooperativa, de biblioteca, de centros de interesse...

Portanto, o professorado está trabalhando. Está absorvido pelo problema do ensino. Está realizando, com intensidade, e conscienciosamente, um programa novo de ação.

Será falta de tempo? Não digo que as professoras disponham de muitas horas de liberdade. Mas têm-nas suficientes para gastar duas ou três por semana em coisa de ótimos rendimentos, como essa de assistir a conferências.

Mas, então, por que será?

Se as conferências fossem sempre sobre uma determinada especialidade, compreendia-se que todos já estivessem senhores do assunto. Mas, ao lado de temas práticos, de aplicação imediata à escola, discorre-se, também, sobre outros, de cultura geral, igualmente úteis, ou mais, talvez, porque criam, para o professor, uma personalidade que depois orientará com segurança todo o seu trabalho escolar.

Seria interessante averiguar os motivos dessa ausência de disposição do nosso magistério para assistir a conferências, o que escandaliza sobremodo os estrangeiros que nos visitam, acostumados a frequentarem essas reuniões, que também fazem parte dos hábitos de elegância.

Talvez aproveitasse fazer um inquérito, perguntando aos professores que assuntos gostariam de ouvir explanar.

Pois talvez estejamos diante de um caso como o daquele homem que fechava toda a casa quando a vitrola do vizinho começava a tocar.

– Não gosta de música?, indagaram.

– Gosto. Mas o vizinho só toca as coisas que eu detesto...

Oxalá seja também questão de discos... É a mais remediável de todas...

Rio de Janeiro, *Diário de Notícias*, 14 de agosto de 1930

A visita de um pedagogo notável

O professor Claparède, cujo nome está tão intimamente ligado às modernas inovações educacionais, deve chegar brevemente ao Rio de Janeiro.

O magistério todo receberá essa notícia alvissareiramente, porquanto nessa notável figura de educador se concentra uma expressão personalíssima da psicologia, aplicada, em toda a sua transcendência, ao conhecimento da criança.

Recebendo Claparède de braços abertos, como a um velho amigo, que, através da sua obra, nos vem acompanhando e inspirando desde os bancos da Escola Normal, ficando-nos, depois, para o resto da vida como uma presença constantemente alentadora, nesta tarefa, cada vez mais grave, de educar, – o professorado carioca demonstrará, em toda a sua plenitude, de que essência universal é feita a alma dos que se dedicam a este ideal grandioso da época consubstanciado nas intenções da Nova Educação.

Vamos receber a um estrangeiro como se o não fosse, não pelo nosso proverbial espírito de hospitalidade, mas porque os que se unificam nesta confraternização ideológica de tornar o mundo melhor por um respeito elevado e consciente da criança, orientando-a para uma visão total e superior da vida, perdem os contornos nacionais; integram-se na aspiração conjunta da humanidade; passam a ser, efetivamente, cidadãos do mundo.

Para os que, no Brasil, se agitam, com fervor, pela Reforma Educacional, os que veem no problema da escola a solução do problema humano, Claparède é um compatriota que aparece reproduzindo, apenas, a forma física da sua existência no campo da admiração e do respeito em que já se nos instalara a sua figura espiritual.

Não poderia chegar em momento mais oportuno.

Vem quando os nossos interesses pedagógicos estão no ponto adequado de receber o definitivo retoque de uma prestigiosa presença.

Parece que ele mesmo é uma mensagem que, de longe, nos vem trazer suas palavras de estímulo e esperança.

Parece que chega para nos dizer:

A Nova Educação não é um sonho de natureza efêmera. Seus apologistas não são poetas nem loucos, mas homens, apenas, com toda a intensidade moral que a palavra "homem" possa conter: com toda a significação de fraternidade que se lhe possa atribuir, com todo o poder de respeito e amor pela própria vida humana que, dentro dela, o nosso desejo de ser melhor seja capaz de fazer existir.

Rio de Janeiro, *Diário de Notícias*, 5 de setembro de 1930

Reuniões de inspetores

A resolução do diretor de Instrução de São Paulo, promovendo reuniões de inspetores escolares, em várias localidades, para estudo de assuntos de educação, talvez seja uma sugestão interessante para se ensaiar também entre nós.

Cremos que um dos males da nossa organização pedagógica é, justamente, a separação que existe entre os elementos que deviam estar unidos na propaganda e defesa de um ideal comum.

Os professores não dispõem, por exemplo, de um aparelho associativo em que concentrem os interesses da classe, onde discutam as questões da sua especialidade, onde tenham ocasião de esclarecer suas dúvidas e expor suas conclusões. Vivem isolados uns dos outros, olhando-se com uma certa desconfiança, como se acaso não se conhecessem ou não trabalhassem na mesma obra...

Houve até um tempo em que havia partidos, representados pelas escolas e pelos distritos...

Por sua vez, os diretores de estabelecimentos de educação não criam oportunidades para se encontrarem, não estão nesse convívio que a sua atuação requer, para ser profícua, – limitam seu campo de ação à escola que dirigem: não irradiam sua eficiência, na divulgação do que experimentaram e, porventura, aproveitaram dessas experiências.

Os inspetores escolares, obedecendo à mesma lei de isolamento, agem nos seus respectivos distritos alheios ao que vai pelos dos outros, ou tendo disso apenas uma vaga notícia.

Pode ser que todos estejam, individualmente, fazendo coisas interessantes – professores, diretores, inspetores etc. – mas, evidentemente, falta um acordo fecundo de todos esses esforços.

É verdade que, no Distrito Federal, há zonas tão diversas entre si que cada uma delas tem, realmente, problemas próprios. Mas as ideias gerais da Nova Educação provêm de um fundo comum. A visão profunda da escola é aquela que nos permite ver a unidade do sentido educacional, permanente sob todas as diferenciações de ambiente.

Por isso mesmo é que o que nos serve, das experiências educacionais feitas por outros povos, não são as leis, não é a metodologia, não é o organismo pedagógico, mas a inspiração que anima tudo isso, que vivifica todo esse corpo, destinado à morte breve, se não estiver preparado de acordo com as necessidades a que tem de atender.

Reuniões frequentes dos inspetores escolares teriam a utilidade de promover um intercâmbio regional muito precioso, mais precioso do que o intercâmbio dos estados, neste momento, porque é difícil ventilar o problema educacional do país inteiro quando não se está perfeitamente integrado na situação local.

Por essas razões, parece-nos interessante a resolução do diretor de Instrução de São Paulo.

Mas os inspetores talvez pensem de outro modo. Seria curioso saber o que pensam.

Rio de Janeiro, *Diário de Notícias*, 5 de outubro de 1930

A circular aos inspetores

A circular há dias distribuída pela subdiretoria técnica aos inspetores escolares, pedindo-lhes informações sobre a aplicação da Reforma Fernando de Azevedo nos respectivos distritos, tem um valor incalculável quanto às conclusões que apresentar.

Ela dirá, ao mesmo tempo, o que é essa reforma e o que são esses inspetores – de modo que todos ficarão sabendo ao certo em que situação nos encontramos, depois da implantação da obra notável que marca para o Brasil o verdadeiro advento de uma nova era.

Os inspetores escolares, de toda parte, têm sido satirizados, pelos que se têm detido a contemplar com atenção e inteligência a atuação que exercem relativamente àquilo que se entende por educação.

No Uruguai, por exemplo, o professor e escritor Julio Cesar Marote faz em seu livro *Cultura y democracia*, escrito com segurança e veemência, uma crítica severa mas justa aos inspetores que, em matéria educacional (...), se preocupam com os vidros quebrados das escolas, o número de alunos matriculados e as faltas dos professores...

Na Espanha deu-se coisa ainda mais interessante e sintomática. Um deputado, considerando a inutilidade de se conservar o lugar de inspetores escolares, justificado apenas como fiscalização das escolas e do magistério, propôs a extinção do referido cargo, e a substituição dos inspetores pelos guardas-civis, que acumulariam às suas atribuições mais essa de saber quais são as professoras faltosas, e de que material necessitam as escolas.

Publicar uma coisa destas, num momento em que o governo pensa justamente em economizar e romper com a rotina do regime passado, decorrente dos compromissos do afilhadismo, pode parecer perigoso a alguns inspetores, que sentem atrás de si o remorso de estar metidos em assunto que não conhecem, porque não se pode considerar grande autoridade em coisas de instrução sequer (já nem falemos em coisas de educação!) quem, em muitos casos, nunca foi professor, nunca se deteve a passar um dia inteiro na escola, *em atividade definidamente pedagógica*, e nunca assistiu, mesmo, *um dia de aula* vivido pelas crianças e pelas professoras, pesando e verificando o que isso representa, o que isso significa, e a finalidade que isso tem...

Mas nós não queremos, absolutamente, sugerir ao governo expedir meia dúzia de "bilhetes azuis" à Inspetoria Escolar. Esperemos a obra do Brasil reconstruído, do Brasil transformado, que agora ainda mal se esboça.

Queremos, ao contrário, chamar a atenção do professorado e do povo para a belíssima prova que, por sua vez, outros inspetores vão atravessar, certamente com denodo e êxito.

Vão falar todos sobre a Reforma de Ensino do Distrito Federal. Estejamos atentos ao que vão dizer. Serão eles mesmos que nos dirão com as suas palavras e a sua assinatura, em documento irrefutável, – não só o que esta reforma vale, pois não se pode chegar à irrisão de admitir que seja isso o que a subdiretoria técnica deseja saber, – mas o que eles pensam dela e como a aplicaram. Isso é outra coisa, muito diferente. Isso é um teste formidável; é um formidável passo para definir o destino dos brasileiros que, até aqui, têm dependido de tanta coisa mal fundamentada e de tantas responsabilidades mal esclarecidas.

Rio de Janeiro, *Diário de Notícias*, 18 de janeiro de 1931

Três pessoas apavoradas e um apelo

Acabo de encontrar três pessoas apavoradas.
E o pavor de todas provém dos editais da Subdiretoria Técnica, para a qual a velocidade parece ser a preocupação mais séria do momento.
A primeira pessoa foi uma adjunta de terceira classe, já meio trôpega, que me perguntou ali perto do Protocolo:

– Minha filha, que diacho de lei é essa que veio agora, hein?
– Lei?
– Não sei se é lei, se é projeto...
– Projeto?
– Ordem... Não sei... Esse negócio da zona rural...
– Ah! isso é edital...
– Então não vale? – perguntou-me ela com um presságio de felicidade nos olhos.
– Deve valer... – atalhei.

E ela, tomando fôlego, expôs-me a sua desdita, nesse tom camarada das pessoas que desabafam.

– Imagine que eu sou adjunta de terceira classe há dez anos. Sabe... licenças, faltas, essas coisas... Mas também nunca fiz questão de ser promovida. Parece que a gente deve ter o direito de não pretender alguma coisa. Não pude ser promovida no tempo em que não se exigia o trabalho na zona rural, e dizia: Bem, agora será quando puder ser... Veio a exigência da zona rural, e desisti da promoção, porque não me posso afastar aqui do centro. Mas agora, de repente, temos de ir para essa zona...

– Diga-me uma coisa: aumentaram as escolas por lá, não é?
– Não sei, não...
– Deve ser... Porque com tanta adjunta de terceira classe, só se já construíram muitos prédios...
– Quando?
– Talvez agora depois da Revolução...

Fiquei olhando para a minha interlocutora, para ver se falava a sério. Seríssima. Nesse instante virou o reloginho do peito e acrescentou:

– Quase três horas. Por onde é que se vai para assinar no livro, hein?

– É por ali.

Sorriu fraternalmente e perguntou, por fim:

– Quais são as que vão para mais longe, as que têm boas ou as que têm más notas?

– Ah! minha senhora, quem poderá informar sobre isso é o autor do edital...

– Ahn!

A segunda apavorada veio com as mãos na cabeça, do fundo da sala, e disse-me com voz lancinante:

– Para onde é que eu vou mandar os alunos de mais de doze anos que se querem matricular, e para os quais não tenho vaga? E como é que vou encerrar a matrícula, hoje, se ainda não me apareceu aqui a totalidade de alunos que espero?

Disse só isto. Mas foi como se tivesse falado com a voz de sinceridade de todas as professoras cariocas que estão querendo trabalhar a sério, e a cuja intenção se opõe uma ordem aérea, absolutamente destituída de fundamento prático, e em completo desacordo com a realidade escolar.

O terceiro apavorado estava aqui pela cidade, encostado a uma porta, filosofando com o seu cigarro caído no beiço, à maneira de Osvaldo Aranha.

Cumprimentou-me e gemeu:

– Veja a minha situação. Eu fui posto em disponibilidade. Poucos se conformam com isso. Pois eu acho excelente. Depois de tantos anos de trabalho na Escola Normal, é preciso a gente deixar lugar para os moços. As coisas são outras. A gente está cansada. Não se pode reformar agora, porque a inteligência, invadida pela rotina, é uma coisa difícil de remediar. Acho a compulsória boa.

Mas... Escute esta coisa: Estou chamado para inspeção médica! Ora, eu não fui posto em disponibilidade por doente... A não ser que o médico me faça agora um exame de pedagogia, de escola ativa etc., para ser coerente... Porque foi por uma razão pedagógica que me deram a compulsória, não por motivo de moléstia...

E paternalmente:

– São esses os homens da Revolução!...

Os homens da Revolução, quanto erro se acoberta sob o vosso nome prestigioso, e como eu gostaria de vos fazer um apelo para desmentirdes, aos olhos dos que trabalham, e dos que tinham sede de uma nova era, todas as coisas tortas que se estão fazendo por aí às tontas, mas sob a gravíssima invocação da vossa responsabilidade!

Rio de Janeiro, *Diário de Notícias*, 4 de março de 1931

O exemplo do México

O ministro da Viação, quando era apenas o grande escritor José Américo, escreveu esta coisa maravilhosa: "Há uma miséria maior do que morrer de fome no deserto: é não ter o que comer na terra de Canaã".

A gente olha para o Brasil e sente isso.

Sente mais do que isso, porque não é ainda a fome o maior suplício: mas a desorientação do espírito sem rumo, que chega a parecer uma simples metáfora errante, de meia dúzia de intelectuais, sobre a vasta ignorância brasileira.

E recorda então estas palavras, pronunciadas logo após o advento do governo Calles:

> Sendo o México um país fundamentalmente de proletários, em cuja massa debilmente flutua um mínimo de população afortunada e capaz de, por si mesma, procurar os bens da cultura e da comodidade, cabe aos governos dedicar toda a sua consciência e todo o seu esforço ao melhoramento das classes menos afortunadas, à orientação melhor das massas trabalhadoras, à elevação da mentalidade dos atrasados e à busca de um bem-estar sempre maior para os oprimidos. Queremos, em suma, fazer do México um povo melhor, e esta transformação não poderá ser conseguida senão por um favor das grandes massas populares.

Quem conhece o espírito da Revolução do México sabe já que a dedicação e o esforço a que se referiam essas palavras estavam intimamente ligados à questão educacional, e pode-se dizer que se resumiam propriamente nela.

O secretário do governo dissera, aliás, bem claramente:

> Sem descuidar a educação universitária, o esforço do atual governo se encaminhará de preferência para as escolas primárias urbanas, as escolas de obreiros e, muito particularmente, para a educação rural, compreendendo nesta as grandes massas de camponeses, mestiços e indígenas.

Como se vê, eu apenas estou reunindo dados sugestivos. E, para esclarecer o conceito dessa atuação do governo mexicano nas escolas, como ponto importantíssimo de um plano de renovação nacional, tenho de transcrever um pouco mais:

> Não teria sido nenhuma alegria, para nós, abrir escolas e escolas em que apenas se ensinasse a ler mal. Sabíamos que a primeira obrigação, no nosso país, era formar homens, homens com plena convicção de seus deveres e direitos, homens capazes de satisfazer suas mais elementares necessidades materiais e morais, e de conseguir, ao menos, algumas de suas legítimas aspirações. Era indispensável, portanto, mudar radical e definitivamente a organização e as tendências das antigas escolas, para realizar nelas, mais do que obra simples e unilateral de instrução, obra verdadeiramente social, de redenção humana. E, por isso, as escolas rurais, que estão funcionando atualmente no país, não são já aquelas "amigas" que nossos pais conheceram, nas quais, ao cabo de dois ou três anos, mal se aprendia a ler e escrever, mas, ao contrário, centros de coesão social onde o professor considera como dever principal abrir os olhos à consciência de ricos e humildes, apelar para os sentimentos de generosidade e elevação que existem latentes em todos os homens, procurar uma cooperação de todas as classes sociais para a obra de redenção nacional, e conseguir, enfim, o aumento da capacidade econômica dos educandos, para que um dia cheguemos a ter no México, verdadeiramente, uma pátria, em que não haja mil privilegiados da fortuna e do saber ao lado de milhões e milhões de eternos miseráveis.

Assim é a obra de educação moderna. Não se trata de alfabetizar, mas de humanizar criaturas. De trazê-las, verdadeiramente, à sua condição humana, para, então, as integrar na vida social.

Não teremos nós, no Brasil, problema paralelo a esse? Não precisaremos nós de uma solução também paralela?

No entanto, aquele estado de isenção que o México defendia para a obra educacional, *"prohibiendo que esta obra se haga por interes político-personalista"*, precisa ser também defendido entre nós, para conseguirmos alguma coisa nesta hora plástica de após-Revolução.

Começamos com uma frase de José Américo, e gostaríamos de terminar com outra. Com aquela que fecha o seu livro, quando Lúcio, depois da sua tragédia, considerando a transformação que desejava ter feito e não fez, murmura, com ceticismo: "Eu criei o meu mundo; mas nem Deus pôde fazer o homem à sua imagem e semelhança..."

É que não se operam as transformações apenas com a mudança de atitude de um idealista... É necessário haver, como alicerce para um sonho de renovação, uma força enraizada na vida do próprio povo, atuando nela, governando-a, dirigindo-a para a sua própria liberdade.

Essa força tem de ser a educação, compreendida como um grande problema geral, de múltiplos aspectos, desenvolvendo conscientemente cada um dos seus detalhes para uma finalidade superior.

E por isso, quando todos os manifestos de todas as legiões que pretendem fortalecer a Revolução falam vagamente na "realidade brasileira", não se pode deixar de pensar no fundamento educacional, e no grande exemplo do México, inesquecível e admirável.

Rio de Janeiro, *Diário de Notícias*, 15 de março de 1931

O mistério das circulares

Já estamos no fim do primeiro mês de aula, nas escolas primárias, e o magistério continua sem aquelas oportunas circulares que a Subdiretoria Técnica de Instrução solicitou aos inspetores escolares, para saber em que estado se encontram as escolas cariocas depois da magnífica Reforma Fernando de Azevedo.

Ainda hoje encontrei por acaso, e em plena avenida, uma professora, que me perguntou com uns olhos do outro mundo:

– Não me sabe dizer se aquela "história" de Círculo de Pais ainda existe?

Senti pelas costas um frio tão grande que até pensei que fosse perder os sentidos.

Mas reanimei-me a tempo, e respondi:

– Claro que existe... Pois não leu que o diretor de Instrução, com uma extraordinária inteligência da época, resolveu conservar a notável reforma do seu ilustre antecessor? (Falei assim como quem faz um discurso, porque o assunto era realmente solene...)

A colega ficou mais calma, e disse-me:

– A gente precisava saber essas coisas... Ninguém diz nada. Não se sabe a quem perguntar... Que é que se pode fazer assim?

E eu concordei:

– Pois é...

Concordei, e fiquei pensando, logo, logo, nas circulares.

Não é que eu quisesse continuar a pensar nisso. Mas há coisas que acontecem, pelo menos por associação de ideias...

Fiquei pensando. E como o pensamento é coisa pouco eficiente por si só – todo o mundo o sabe, – resolvi falar outra vez naquelas circulares que os inspetores certamente prepararam com todo o carinho, informando sobre o seu trabalho, nos tempos novos, e que viriam resolver de maneira definitiva a situação de incerteza em que se encontra uma parte considerável do magistério, que ainda ignora o rumo a seguir nesta era revolucionária.

A imprensa conseguiu revelar duas circulares apenas: a do sr. Paulo Maranhão e a da dra. Loreto Machado, dois elementos de destaque e de prestígio na sua classe. Os outros inspetores, não se sabe por quê, ficam muito atrapalhados quando se lhes pergunta pelas suas informações. Puxam um pigarro, assoam o nariz, olham para o chão ou para o céu, dizem que só têm o rascunho, que é preciso passar a limpo, enfim, – uma verdadeira confusão. Um me confessou, depois de muita insistência:

– Eu disse que tinha dado uns testes... E...

– E...?

– E...

De modo que fiquei na mesma.

Ora, eu não me conformo com esse mistério. Gandhi já disse que o mistério é um crime. E, se é verdade que há liberdade de pensamento, estou no direito de pensar com Gandhi.

Não faço questão de que mais alguém pense comigo, não. Em certas coisas, quanto menos gente, melhor...

Mas, por que não aparecem as circulares? Que será que elas dizem de tão sobrenatural, que não podem ser publicadas?

E como é que um departamento *técnico*, possuindo tão úteis informações, para esclarecer o magistério, o deixa à míngua, com um requinte de avareza indigno da liberalidade deste grandioso momento de reconstrução da pátria, em que todos se empenham numa obra de solidariedade e de harmonia?

Rio de Janeiro, *Diário de Notícias*, 29 de março de 1931

A perfídia dos testes...

Esses testes que frequentemente são dados às crianças das nossas escolas encerram singelíssimas complicações capazes de atrapalhar muita gente grande.

Todos conhecem aquela história das palavras terminadas em "el", que, mecanizando a atenção do paciente, fazem-no responder assim:

– Como se chamava a princesa que assinou a Lei Áurea?
– Isabel.
– Em que é impresso o jornal?
– Papel.
– Como se chamava a torre em que confundiram as línguas?
– Babel.

E assim por diante, até chegar aqui:
– *Quem matou Caim?*

Para o paciente responder esta enormidade:
– Abel...

Há verdadeiras perfídias, dentro de certos testes. Daí as conclusões que se podem tirar acerca da memória, da atenção, do raciocínio etc. dos que a eles são submetidos.

Existe um que se faz indiferentemente com moscas, passarinhos ou coelhos, e que consiste apenas neste pequeno problema (no caso de utilizar as moscas):

– Em cima da mesa estavam sete moscas. O menino apanhou três. Quantas ficaram?

A pessoa a quem é proposta a questão apressa-se a responder:
– Quatro.

E está absolutamente errado. Está errado porque, se o menino pega três moscas, as outras está claro que saem voando, e só ficam mesmo aquelas três...

Mas é infinito o número de pessoas que erram nessa resposta simplíssima.

Ainda há pouco tempo, na *conferência coletiva* de São Lourenço, o presidente Getúlio Vargas, com o seu feitio democrático tão sugestivo e agradável, andou propondo perguntas e quebra-cabeças às crianças que lhe apareciam pelo caminho – o que é altamente simpático nestes tempos pedagógicos.

Ora, segundo a narrativa de um jornalista que andou na mesma estância de águas, no exercício da sua profissão, entre os problemas propostos à criança pelo sr. Getúlio Vargas, estava esse das moscas, aplicado a sete passarinhos numa árvore. Veio um tiro certeiro e hábil, que derrubou logo três. Quantos ficaram?

Diz o jornalista que o pequeno pensou, pensou, e...

Certamente hesitava sem saber se o presidente queria que lhe dissesse quantos passarinhos ficaram *na árvore* ou *no chão*, porque no caso dos passarinhos já a resposta se complica... Então, o sr. Venceslau Brás, temperamento meditativo, que vive à beira da água, pescando como qualquer personagem dos contos das *Mil e uma noites*, resolveu ajudar a criança e disse o número fatal:

– Quatro...

Não há mal nenhum nessa resposta. Ela não significa senão um pouco de distração, muito natural em quem anda afastado das coisas terrenas, esperando, pacientemente, peixes raros na extremidade de um fio...

Mas não deixa de ser pitoresca a distração. E fica provada, mais uma vez, a excelência do teste, como ponto de referência para se medirem as várias faculdades humanas, sem distinção de cor, idade e sexo...

Rio de Janeiro, *Diário de Notícias*, 12 de abril de 1931

Um grande passo pedagógico

Segundo corre com todas as credenciais da verdade, a Diretoria Geral de Instrução acaba de dar um passo pedagógico realmente notável, e o mais importante, da administração, não só até o presente instante, como também, possivelmente, daqui por diante.

A Diretoria de Instrução, que, naturalmente, por motivos superiores às suas forças, ainda não se animou a publicar a *Revista Oficial*, nem a convocar o Conselho de Educação, acaba, porém, de fazer uma importantíssima reunião de inspetores escolares com o fim de cuidar da questão pedagógica, tão necessitada de interesse, entre nós.

As medidas tomadas, como era de esperar, vêm revestidas das características que tão singularmente definem todas as iniciativas educacionais desta administração, devendo ser contempladas mesmo como um sintoma nítido do famoso espírito revolucionário.

Dentro das múltiplas inquietudes da Escola Nova foi escolhido precisamente um dos seus mais sugestivos temas.

Os inspetores, sob a douta inspiração dos técnicos modernos a cujas mãos foi confiado o leme do frágil batel do nosso ensino municipal, tiveram de estudar um assunto de extrema profundeza pedagógica e psicológica, de onde vão resultar os mais extraordinários e imprevistos acontecimentos para a sorte da educação nacional e mundial.

Embora não conheçamos o título exato da tese, o que de um modo fundamental ficou resolvido foi voltar as vistas pedagógicas atenciosamente para o número dos serventes das escolas, estudando com o máximo apuro a maneira mais simples e eficiente de reduzir o seu número.

Como se vê, é um dos mais sublimes pontos a discutir, à luz das mais recentes investigações pedagógicas, e digno do carinho intelectual não só dos inspetores, propriamente, como também de todos os educadores e patriotas.

Apesar de um período um tanto extenso de inatividade que vinha sendo justamente comentado como prejudicial aos interesses da educação popular, a Diretoria Geral de Instrução sempre se resolveu, afinal, a uma atitude perfeitamente de acordo com a sua ideologia.

Trata-se de um grande passo no terreno das conquistas democráticas, tão aconselhadas pelo ministro Francisco Campos no seu último discurso no Rotary Club.

O professorado saberá reconhecer o justo valor educacional da importante reunião promovida pela Diretoria de Instrução, embora se veja forçado a achar extravagante realizar ambientes propícios à infância com tanta parcimônia nos gastos essenciais à limpeza escolar.

Mas, quando se defronta com sugestões emanadas de tão altas autoridades, dignamente investidas nos seus cargos por um processo telúrico, tal o que assistimos na recente Revolução, todas as críticas têm de se considerar vencidas, porque, acima de tudo, brilha o esplendor das revelações inevitáveis, como essa que agora todos recebemos, surpreendidos, da Diretoria Geral de Instrução Pública.

Resolvido o caso da redução dos serventes, o Brasil se encontrará, com certeza, plenamente aparelhado para mostrar ao mundo aquela formação nacional de que tanto carece.

Não pode deixar de ser essa a opinião respeitável dos que organizaram a reunião em que se debateu o notável e urgentíssimo assunto.

Rio de Janeiro, *Diário de Notícias*, 15 de agosto de 1931

Inspeção médica e educação sanitária

Educação e saúde são dois problemas tão profundamente entrelaçados que é quase impossível determinar entre eles qualquer separação.

Por isso mesmo, as escolas estão providas de uma inspeção médica em que se tem procurado atender, de várias maneiras, ao problema da saúde na medida que o permitem os recursos quase inibitórios oferecidos a essa atividade.

Mas a inspeção médica dá margem a interpretações diversas, – e conta, ao mesmo tempo, com defensores enérgicos do serviço propriamente clínico, e propugnadores entusiastas da educação sanitária, preventiva.

Entre prevenir e curar, é claro que está na índole da atualidade inclinar-se para o primeiro objetivo.

Mas, enquanto o serviço de educação sanitária se desenvolve por infiltração no meio, preparando ambientes e compreensões, nem sempre fáceis de encontrar ainda, o serviço de clínicas escolares conquista mais prontamente a confiança dos interessados, mais acostumados a tratar *da doença* que *da saúde*.

Assim se encontra a Diretoria de Instrução a braços com dois problemas de imensa gravidade, e a que não poderá atender equitativamente: o da saúde e o da educação.

O da saúde, definido em clínicas escolares, destina-se a progressivo desenvolvimento, e a sua extensão facilmente se tornará exorbitante para o quadro das atividades mais urgentes da Diretoria de Instrução.

Nem pode deixar de ser assim, porque ele constitui um caso autônomo, tem uma existência própria; é só por si um interesse completo, com exigências intrínsecas. E é por isso que, diante das finalidades mais representativas da Diretoria de Instrução, fica de certo modo mal situado, sem corresponder ao sentido mais justo que a escola moderna reclama para a contribuição médico-educacional.

Essa contribuição tem a sua expressão mais adequada no serviço de educação sanitária. A escola que educa está mais dentro da sua significação que a escola que cura, como a escola que dá possibilidades de acertar está mais apropriada às intenções de agora que aquela que ainda se esforça principalmente em corrigir.

Certamente, com a orientação que estão tomando os trabalhos da Diretoria de Instrução, esse problema da inspeção médica receberá um destino adequado, tanto aos seus fins como aos seus meios.

Haverá, por certo, uma fórmula capaz de conciliar as duas correntes de opinião que existem no próprio serviço médico-escolar.

Será possível encontrar uma norma que aproveite as boas intenções de todos, atendendo por enquanto às solicitações do ambiente e, ao mesmo tempo, incutindo nesse ambiente os elementos de experiência, que lhe faltam, para a compreensão total da educação sanitária e seu alcance.

A cooperação inteligente dos médicos-escolares, que podem dar os seus estímulos à corrente de sua preferência, sem, no entanto, desajudarem a de seus colegas, seria, neste momento de renovação, de uma utilidade incalculável.

Desses esforços reunidos é que dependem a educação e a saúde da criança. Mas é preciso não perder jamais de vista que, se, por enquanto, educação e saúde são dois problemas intimamente entrelaçados, poderá chegar um dia em que o da educação já envolva o da saúde, resolvendo-o por antecipação.

Rio de Janeiro, *Diário de Notícias*, 11 de novembro de 1931

Uma pergunta

Sei de uma criança que acordou certa noite no escuro e, não vendo nada, pôs-se a chorar, pensando que tinha perdido os olhos. Mas veio a mão que acendeu a luz, e a criança se tranquilizou, recuperando o seu mundo de volumes, formas e cores.

Feliz criança. Nunca mais sofreu com o peso da noite. Soube que as coisas podiam continuar existindo ainda para lá dos olhos. Não duvidou da claridade interior da sua imaginação. Se tivesse ficado cega mais tarde, nem por isso teria sofrido, talvez. Acreditava nos seus olhos. No poder dos seus olhos transportados do rosto para outras alturas, criando o cenário de outras visões e os personagens dos seus espetáculos.

Nem todas as crianças são felizes como o foi essa. Porque nem todas as mãos são afugentadoras da noite. Há também mãos cúmplices, semeadoras de treva, que andam lavrando noturnos campos para com eles escurecerem, voluntariamente ou sem querer, o sonho que ergue suas perguntas inquietas e a ingenuidade que se debruça para insondáveis horizontes.

Em vez de acender luzes para corrigir o engano da escuridão, existem mãos que vêm, elas mesmas, fechar os olhos, tornando acreditáveis todas as cegueiras. E irremediáveis.

A infância tem tido vítimas inúmeras dessa crueldade. E a juventude também.

A educação moderna tem de corrigir essa amarga desventura de quem sente seus olhos perdidos, sem esperança de os poder jamais encontrar.

Precisamos de educadores donos de gestos generosos e luminosos, de espírito compreensivo para sentir a inquietude dos meninos e dos jovens que certa vez despertam e perguntam pelas coisas que ainda não viram ou que deixaram de ver.

Precisamos das mãos que acendem, que trazem a vida aos que a procuram, e satisfazem a angústia dos desejos que vêm à tona pedindo a palavra que os explica e em que as suas hesitações se sentirão conciliadas.

Essa atitude humana e consciente estará sendo a atitude real dos que se fizeram diretamente responsáveis pelo problema de educar?

Estaremos com uma totalidade de intenções voltadas para essa contemplação atenta dos que esperam a palavra esclarecedora que a educação lhes deve dar?

Os mil interesses secundários que gravitam sempre em redor de cada problema não estarão sufocando, muitas vezes, o instante e a porção mais importante do grande problema da vida?

Essa pergunta eu a gostaria de fazer a um por um dos responsáveis pela educação no Brasil. Não para que *me* respondessem. Para que se respondessem a si mesmos, com sinceridade.

Rio de Janeiro, *Diário de Notícias*, 13 de novembro de 1931

O fundo escolar

O anteprojeto que o dr. Anísio Teixeira apresentou ao interventor do Distrito Federal, com sugestões para a realização do Fundo Escolar, merece ser olhado com uma particular atenção pelos que sobre ele devem decidir.

A Revolução, como prova da sua eficiência, devia – havemo-lo dito inúmeras vezes e nunca nos cansaremos de o repetir – colocar o problema da educação num lugar de extraordinário destaque, facilitando-lhe todas as medidas para que os seus destinos fossem conduzidos ao mais alto êxito.

Ainda há pouco nos referimos à preocupação do governo espanhol no sentido de obter uma ampla verba para fundação de novas escolas e melhoramento do ensino em geral.

Chega-nos agora do México um telegrama sobre o mesmo assunto, por onde se vê como a educação está sendo o motivo de mais profundo interesse para os países que se empenham numa ansiedade justa de formação nacional e humana, vendo, para além de todas as complicações administrativas e políticas, a questão educacional como o fundamento mais importante para a estrutura da pátria e da humanidade.

Essa questão, que ultimamente tem sido tão vastamente estudada entre nós, não pode mais ser daqui por diante um detalhe secundário ou supérfluo, entregue a alguns figurões com o seu cortejo de satélites medíocres, como desgraçadamente o foi muitas vezes no passado, nesse passado negligente que justifica o nosso precário presente, onde heróis raros aparecem, defendendo intransigentemente as ideias salvas das horas tenebrosas, embora vendo que ainda enfrentam uma larga multidão incompreensiva, interesseira e baixamente ambiciosa.

A situação quase miserável em que se encontra o nosso aparelhamento educacional devia, só por si, só pelo pudor de estar formando em tal ambiente a parte mais viva do povo, – que é sempre o seu futuro, – comover os responsáveis por esse estado de coisas, – porque há visões silenciosas que, sem mais nada, são capazes de transmutar todas as intenções e resoluções de quem as recebe com boa vontade e isenção.

Mas, quando a palavra do diretor de Instrução – que não é um diretor de instrução qualquer, mas um dos três ou quatro raríssimos nomes que, realmente, podiam ocupar esse alto cargo, – expõe com tamanha simplicidade e justeza a situação que tem diante dos olhos e que lhe cumpre resolver, – não pode haver mais nenhuma vacilação no espírito daqueles de quem venha a depender o decreto sobre o Fundo Escolar.

A solução é aquela. Está ali, estudada, pensada, refletida o mais inteligentemente possível por quem se interessa por ela com a dignidade própria da consciência com que ocupa o seu cargo.

Aliás, não é o diretor de Instrução que fala, apenas, nesse anteprojeto. Falam com ele as crianças que ainda não sabem falar. Os analfabetos que voltam para casa, no primeiro dia da matrícula, sem prédio que os abrigue, e mesmo os que conseguem ser abrigados, precariamente, em escolas que não correspondem ao alcance da Reforma de Ensino que possuímos, e que precisamos defender a todo o custo, porque é uma das nossas mais puras glórias e a esperança mais autêntica para o nosso destino de povo, neste momento mundial tão grave para os que se esquecerem de cumprir seus deveres humanos.

Rio de Janeiro, *Diário de Notícias*, 15 de novembro de 1931

Congressos de educação

Na penúltima sessão da 4ª Conferência Nacional de Educação, o dr. Frota Pessoa, diretor administrativo da Instrução Pública, encaminhou à mesa uma interessante indicação para um próximo congresso, de mais eficiência que este último, capaz de trazer, à inquietação geral que o Brasil sustenta, neste instante, pelas coisas de educação, a resposta adequada e o mais urgente possível.

Efetivamente, estamos num momento tão especial da nossa formação, agora que os tempos revolucionários chamaram a nossa atenção mais energicamente para o sentido do nosso destino, que qualquer demora parece um perigo para as possibilidades do povo, e faz entristecer a esperança de cumprirmos com lealdade aquilo que se está fazendo à imposição da nossa própria vida.

Como sempre, o dr. Frota Pessoa viu claro e certo. As reuniões de educadores são de uma importância capital para êxito do problema da educação. Mas, depois desta agora, encerrada, esperar um ano para novo encontro de ideias e opiniões seria criar um prazo para a instalação do próprio desinteresse geral, principalmente dada a atmosfera em que vimos decorrerem os trabalhos últimos, fora de todas as realidades, nos parâmetros intangíveis da declamação e da retórica.

Os elementos desejosos de trabalhar estão sentindo, na verdade, que se torna imprescindível uma constante aproximação de todos os interessados na obra comum. Mas também não só a aproximação intensa se faz necessária. Há que atender a qualidade dos convidados, e a organização do próprio congresso.

O que vimos neste último deve servir, pelo menos, para lição.

Apesar de se ter afirmado tratar-se de uma reunião de técnicos – cada um dos presentes andou sempre muito desconfiado tanto da sua própria especialização como da alheia. Nem era para menos, uma vez que as divergências foram sempre muitíssimo mais numerosas que as concordâncias, e todos pensavam tão distintamente como se, em vez de se acharem no foco do mesmo interesse, partissem todos dos mais diversos pontos pelos mais diversos caminhos e para os mais diversos fins.

Houve tantas questões elementares discutidas nesta conferência, que se podia ter a impressão também de que, em vez da quarta, era ensaio para a primeira. A não ser que, em virtude da distância das suas realizações, tenha a assembleia de recapitular, de cada vez, as primeiras noções indispensáveis do assunto. Por isso mesmo, será bom evitar as distâncias.

Mas, como a heterogeneidade só servirá para atrapalhar, as futuras conferências devem ser implacáveis nos seus convites. Não tragam mais para o congresso o desequilíbrio natural decorrente da incompreensão completa dos temas!...

É verdade que pode parecer pretensão aristocrática esse desejo de seleção, possivelmente difícil de realizar, dada a dificuldade de saber escolher e poder ser escolhido...

Por isso é que eu ando pensando que o dr. Isaías Alves, que com tanta capacidade vem dirigindo a nossa Subdiretoria Técnica, bem podia preparar, de acordo com os organizadores das próximas conferências, ou da próxima, pelo menos, um teste de ingresso capaz de tranquilizar, de antemão, os que se interessem por elas.

Rio de Janeiro, *Diário de Notícias*, 24 de dezembro de 1931

Assim não...

O inquérito que a Diretoria de Instrução organizou para matrícula dos alunos na escola primária obedece a uma necessidade imperiosa do ensino e virá a ser de uma grande utilidade para várias conclusões que se queiram tirar sobre esses alunos e sobre o próprio destino da escola.

Mas um inquérito, sendo a coisa mais elementar que se pode fazer, em pedagogia, é também, às vezes, uma das coisas que exigem mais penetração psicológica, sempre que não se trate de o entregar apenas à espontaneidade de quem o deve responder, mas, como neste caso, de dirigir as próprias perguntas, em voz alta, e receber uma resposta que é quase sempre vacilante, desde que não acuda a um movimento de habilidade que o professor tem obrigação de possuir.

Suponhamos um diálogo assim:

– Como se chama a criança?

– Fulana de tal. (Sucede que não é Pedro nem João nem Maria. A professora estranha o nome, e vai perguntando letra por letra. A mãe da criança estranha, por sua vez, a dificuldade da professora, e põe-se a olhá-la com uma cara muito desconfiada.)

– Quando nasceu? (A senhora exibe a certidão, tirando-a de dentro do lenço. Explica a data, ano, mês, dia, hora, e ainda acrescenta detalhes de local, e do próprio acontecimento. A professora ouve tudo e continua o interrogatório.)

– Então, que idade tem?

– Oito anos.

– Não, oito não.

– Sim senhora. (A explicação continua. A professora, que está agindo com o máximo interesse e a mais extraordinária cautela, resolve-se a contar pelos dedos. Acerta. Fica satisfeita, escreve o algarismo, e segue.)

– Nunca andou em escola?

– Andou. No ano passado. Na escola de d. Fulana. Lá não ensinavam bem. Não *puxavam* por ela. Por isso é que eu resolvi agora matriculá-la aqui. Eu quero que *puxem* bem. Ouvi dizer que aqui se *puxa*...

— Andou, então, no ano passado?
— É.
— E não sabia nada, nada?
— Um bocadinho, muito pouco. O nome das letras.
— Bem, então não era analfabeta?
— Era, sim senhora...
— Mas sabia ou não sabia?
— Não...
— Então era...
— Então era...
— Tem irmãos maiores? (A senhora fica atrapalhada, pensa, e diz que sim.)
— Andam na escola? (A senhora acha a pergunta ingênua e sorri... Já são homens...)
— Então, estão empregados?
— É, estão trabalhando, sim senhora...
— E menores? (Surpresa, outra vez. Meditação. Menores?... não.)
— E o pai quem é?
— É meu marido mesmo.
— Como se chama?
— Fulano de tal.
— Está vivo?
— Graças a Deus.
— É casado? (A senhora fica envergonhada, olha em redor, e diz que sim, com a cabeça.)
— É analfabeto? (Outro movimento de vergonha. Um balbucio. Um lenço que enxuga o suor.)
— Não... Ele sabe ler... Não sabe muito (mui...to) mas, lê o jornal...
— Então não é analfabeto...
— Não senhora. (Um suspiro de alívio...)
— Que é que ele faz?
— É quitandeiro...
— Quitandeiro... (A professora procura na lista em que categoria deve incluir os quitandeiros. Observa, raciocina, julga e resolve, murmurando baixinho: ne-go-ci-an-te...)
— É rico, pobre ou remediado? (Ah! a senhora não sabe mesmo o que há de responder. Pensa, mexe com a testa, encolhe os ombros, olha em redor...)
— Eu... minha senhora... não sei...
— Acho que é remediado...

— A senhora acha?
— Remediado, não é?
— Pode ser... (Fica sendo, coitado!)
— E agora uma coisa: onde mora?
— Ah! na rua tal...
— Onde é isso?
— É por ali assim... Vai-se andando, dobra-se para a direita, sobe-se um bocadinho, depois torna-se a dobrar para lá, anda-se um pouquinho mais, desce-se, é do outro lado, uma avenida, com um portão largo e um letreiro por cima, na última casa à mão direita.
— Ah! mas então o menino deve ir para a escola que fica lá perto. Esta aqui não pode receber...
— Mas eu sei que lá também não *puxam*...

A professora começa a apagar com a borracha todos os apontamentos minuciosamente tomados. (Excessivamente minuciosos...) As pessoas em torno suspiram bem fundo, pensando que a cena vai recomeçar... E recomeça mesmo... E pode ser até que o fim seja igual...

Ora, o inquérito da Diretoria de Instrução não foi feito, de certo, para constituir uma atrapalhação. Pelo contrário: sente-se, na sua organização, um desejo de simplificar, de obter o máximo de informações sobre a vida da criança no mínimo de tempo possível. É uma ficha que se obtém no começo do ano e à qual se pode recorrer para qualquer observação de interesse geral ou particular. Mas fazer desse inquérito uma tortura para os pais, por uma aplicação inábil, ainda que muitíssimo bem-intencionada (o que se vê pela minúcia fatigante a que se chega), é estar traindo a sua própria significação, e dando aos pais menos esclarecidos uma noção errônea e antipática do trabalho pedagógico a que se está dedicando a Diretoria de Instrução, evidentemente absorvida pela preocupação de servir o melhor possível a população infantil do Distrito Federal.

Rio de Janeiro, *Diário de Notícias*, 3 de março de 1932

A questão dos técnicos [I]

Quando ontem o dr. Carlos Sá, no Instituto de Educação, referindo-se à clarividência com que o dr. Pedro Ernesto vem favorecendo a obra educacional, se referiu à vantagem de estar a Diretoria de Instrução confiada a um dos nossos mais perfeitos técnicos no assunto, fez o elogio fundamental da obra que essa administração vem realizando.

Efetivamente, nós temos vivido longamente num regime de empirismo, que se forrou de rotina e de vaidades de onisciência.

Por muito tempo se sustentou de si mesmo essa mentalidade compenetrada de que, com arrogância e desenvoltura, se podem galgar todas as posições e, do alto, doutrinar sobre as suas diferentes finalidades.

A convicção de que, com uma certa inteligência (e até sem ela), se podem resolver os próprios problemas que não se conhecem, fez época no Brasil: temos assistido aos duros espetáculos das mais deploráveis experiências a que as criaturas audaciosas se têm arriscado, nesse terreno. Só mais tarde se constatam os prejuízos: e o remédio que então se procura aplicar principia por vir em momento já inoportuno.

A Revolução não deve ter esquecido isso. Ela é, afinal, uma consequência de erros acumulados, a que faltou a correção adequada antes que se produzissem os resultados comuns a todos os erros.

Entregar os problemas de um país aos respectivos técnicos é uma regra de elementar bom senso. E parece fácil de compreender e aplicar. Mas nem sempre é. Muitos interesses espantosos giram em redor dos problemas e das criaturas; a noção de sinceridade e responsabilidade, que cada um devia ter em completa pureza para consigo mesmo e para com a vida, perturba-se a cada instante com a sombra dos interesses que passam. As ideias mais simples em aparência nutrem-se, dificilmente, em pequenas elites antes de conseguirem chegar a vencer, unanimemente aceitas.

Sem a noção de responsabilidade, é fácil achar tudo fácil, é comum achar-se tudo simples. Toma-se uma atitude, faz-se uma frase, e vai-se para a frente. Ilusoriamente, embora... Porque assim é que temos ficado no mesmo lugar, por muito tempo, quando não estivemos empenhados em caminhar para trás...

E assim é que continuaremos, se não nos resolvemos a reconhecer a necessidade de competência para o bom desempenho de um serviço.

Assim continuaremos, enquanto não quisermos reconhecer a necessidade de possuir técnicos para realizarem o que não chegarão nunca a fazer os empíricos.

A Diretoria de Instrução está, neste momento, dando um exemplo que é necessário não esquecer.

E que conviria imitar em todas as atividades brasileiras, para se apressar a obra de uma civilização que o Brasil já tem o direito e o dever de afirmar e definir.

Rio de Janeiro, *Diário de Notícias*, 6 de abril de 1932

A questão dos técnicos [II]

O brasileiro ainda não acredita nos técnicos. Mas talvez se possa interpretar benevolamente a sua descrença, e talvez, no fundo, tudo seja uma questão de expressão.

Creio, por exemplo, que ninguém porá em dúvida aquela argumentação com que, outro dia, o dr. Anísio Teixeira focalizou o caso dos técnicos do ensino. Apenas, há uma despreocupação hereditária, no Brasil, por esse problema especial. De modo que as cogitações sobre os técnicos parecem não ter razão de ser.

Que há necessidade de técnicos é evidente. Mas noutros assuntos. Uma necessidade instintiva, poderosa, mas informulada, ou que se formula timidamente e mal.

Quem quer que deseje tentar a vida de um certo modo começa por arranjar o que se chama graciosamente "uma ideia". A seguir, procura realizá-la. Alguns até não fazem questão de a pôr em prática, e, prevendo já, pelo exemplo alheio, um infinito de dificuldades, apenas balbuciam o seu pessimismo contra o país, contra o governo, contra o regime, contra a vida etc. E nada mais.

Os que, porém, insistem em atingir a prática fazem-no como no princípio do mundo, – por tentativas. Está claro que isso leva um tempo imenso, e os resultados não trazem novidade, porque há toda uma cultura a fazer sobre o assunto, e o dono da ideia não se dedicou a esses estudos de especialização.

Uma sucessão de tentativas inúteis costuma produzir cansaço e desânimo. E, às vezes, coisas que podiam ser admiráveis sucumbem assim, pela incapacidade dos que as deviam resolver.

Em todos os demais terrenos, mercê de forças inexoráveis, essa verdade já se impôs, de algum modo, e não é muito estranhável encontrarem-se técnicos neste ou naquele serviço, onde a possibilidade da experiência vaga e primitiva pareça evidentemente inoportuna e clamorosa.

Mas no ensino... Ora, no ensino...

E por que há de ser assim? Porque esse pensamento errôneo e tão arraigado de que o ensino é uma ocupação muito singela, que um simples curso facilite, e cujo mecanismo se exerça, infatigável, irrenovável e automaticamente, preparando gerações sucessivas com os mesmos preceitos, os mesmos conhecimentos, por um mesmo caminho, para o mesmo fim?

Não é necessário ser nenhum sábio: qualquer pessoa vulgarmente informada sabe que todos os dias há coisas novas na terra. Assim, o conhecimento é uma herança variável, modificável, – não um tesouro que se transmita de uns a outros sempre intato.

Admitindo que esses conhecimentos atinjam a compreensão do mundo, da vida e dos homens, parece natural que se tenha a desenvolver um dinamismo adequado para que o ensino seja coerente com semelhante fato.

Não se trata, portanto, de uma formação acabada no magistério, mas de uma formação móvel, progressiva, sempre atual, constante, que faça de cada professor um indivíduo diariamente renovado, alerta aos acontecimentos e ao tempo.

Isso só em relação ao ensino. Mas a obra da escola é outra. Obra de educação. Obra que atinge diretamente a humanidade, com os seus problemas peculiares. Que exige, pois, um outro preparo, paralelo a esse do professor – o do educador propriamente dito. Não está aí toda uma especialização? Toda uma técnica também?

Por que, então, não haverá técnicos?

Diz-se que é preciso propagar largamente a educação. É verdade. Mas, os que se creem mais amigos do povo não veem como o estão traindo querendo apenas uma educação generalizada. É preciso dar-se ao povo o luxo de educação que aquela porção da sociedade, que tem a mania de pensar que não é povo, procura dar especialmente aos seus filhos, sem ver, também, o abismo a que os vai lançando, na luta das futuras desigualdades.

O povo, pois, é que tem mais direito de exigir técnicos para sua educação. Saber o que isso significa, o valor que isso tem.

Onde apenas o brasileiro talvez ande certo é no seu intuitivo temor pelas técnicas escravizadoras, capazes de se esquecerem da vida, para se limitarem a papéis e números inertes. Mas a educação aprenderá a reagir cada vez mais contra os técnicos dessa espécie, porque ela, que é uma arte de vida, não seria capaz de se condenar assim, inabilmente, à morte.

Rio de Janeiro, *Diário de Notícias*, 16 de outubro de 1932

Inquéritos pedagógicos

Um inquérito pedagógico é uma coisa móvel, cheia de revelações, e que traz sempre surpresas, tanto em relação às coisas que se quiseram apurar como às que aparecem inesperadamente, oferecidas pela graça infantil falando de si com despreocupação.

Todas as qualidades da criança, todos os defeitos do ambiente escolar ou doméstico, todos os erros e todos os acertos da obra de educação vêm à tona dos inquéritos, quando a gente se detém atentamente na sua interpretação.

Há inocências comoventes, e malícias perigosas, que se surpreendem assim, ao lado das primeiras melancolias, das primeiras fadigas, das primeiras decepções, e, ao mesmo tempo, aquela disposição para o triunfo que é o próprio sentido da força vital, e aquela aspiração para o melhor e o mais belo, que sustentam toda a ansiedade das criaturas em evolução.

É profundamente interessante sentir-se o comportamento da criança, pela sua resposta, em relação à pergunta que lhe foi preparada. Mas não basta senti-lo, decerto. Faz-se necessário procurar, depois, numa investigação interessada e prudente, mas com essa intuição afetiva que adivinha os segredos, e invade as dificuldades impenetráveis, a que mecânica está servindo cada variante, e as razões por que assim reagem diversamente indivíduos que deveriam, antes, apresentar uma certa proximidade de atitudes, dadas as coincidências que determinaram a sua seleção.

As exceções dos inquéritos são, talvez, a parte de mais fecundas sugestões. Quando o maior número vem afirmar uma conclusão que já se antecipava, é curioso escutar os pensamentos divergentes, ou, quando não divergentes, os que se exprimem com detalhes inesperados, revelando abismos ou altitudes psicológicas que não tinham sido previstos, e que talvez continuem a jazer, irrevelados, quem sabe lá com que particulares sentidos, dentro de respostas mais comuns e, por isso mesmo, menos esclarecedoras.

Este mundo da infância é um mundo maravilhosamente complexo. Por muito que nele se penetre, há sempre uma novidade desconhecida. Poder extraordinário da vida que está brotando, longe ainda de alcançar essa imobilidade que alguns, sistematicamente, certo dia, afinal, lhe impõem, – e, nessa liberdade do nascimento, tem, a cada instante, um espetáculo inédito, e a todo instante é um motivo de deslumbramento.

Se há maneira da gente se aproximar do mundo infantil é, com certeza, mediante uma conscienciosa aplicação de inquéritos, ainda que sem a pretensão de resultados infalíveis e automáticos, como muitas pessoas pensam que deve ser o processo normal da Escola Nova.

Eu creio que essa suposição, além de errônea, tem a desvantagem de fazer esquecida a significação da própria vida, que não se repete, não se mecaniza, não se detém na invenção de uma fórmula, não envelhece nunca em si mesma, e sim na rotina com que os homens a subjugam.

Até para isso o inquérito concorre poderosamente. Ele mostra a compressão que se exerce, na vida da criança, com o próprio estudo, e, ao mesmo tempo que a liberta, oferece, também, à experiência, novos pontos de vista que lhe proíbem qualquer atitude premeditada e lhe arrancam os atributos de intolerância, de tirania, de vaidade, com que os adultos se comprazem, às vezes, a contemplar esse mundo que foi de todos e que agora já é de tão poucos, porque o não souberam guardar, ou tiveram vontade, mesmo, de perder.

Rio de Janeiro, *Diário de Notícias*, 5 de maio de 1932

quinto núcleo temático
EDUCAÇÃO, REVOLUÇÃO, REFORMAS DE ENSINO E ORTOGRAFIA

Exercícios de português

A questão de Brasil com "s" ou com "z" já é tão velha que não devia ser considerada como assunto para um comentário, tanto mais que, se os respeitáveis escritores e gramáticos que se dedicam a estudá-la não lhe deram solução, não seremos nós que lha daremos, decerto, fazendo aqui algumas observações.

Acontece, porém, que, embora velha, a questão acaba de ser remoçada na Academia de Letras, a propósito da determinação do ministro do Exterior mandando distribuir pelos consulados e legações no estrangeiro carimbos em que o nome do Brasil aparece com "s".

Ora, essa grafia, se bem que seja a mais comumente usada, veio-nos de *braise* francês e constitui o que João Ribeiro chama o nosso "primeiro galicismo". Não é, porém, por questão de galicismos que origina o debate, nem tampouco a preferência por este ou aquele sistema ortográfico.

É que o nome do Brasil tal como foi registrado na Constituição, foi como se constituiu nação independente, está escrito não com "s", mas, com "z". De modo que essa deve ser, na opinião de alguns, a forma oficial do nome da pátria, o único que se deve empregar porque é a única legítima.

E sobre isso se tem discutido largos anos. E enquanto a Academia, fiel às suas convicções, mantém no seu título Academia Brasileira de Letras, o dinheiro circula com o dístico Banco do Brasil, e no Instituto Histórico e Geográfico Brasileiro, os papéis oficiais dizem: República dos Estados Unidos do Brasil, e assim se aprende, e assim se ensina, e assim serão os carimbos que o senhor ministro do Exterior mandara distribuir.

Não discutiremos se será mais razoável obedecer à ortografia da Constituição ou ao galicismo generalizado. Ambos, como se vê, têm os seus direitos.

O que nos interessa, apenas, é que se chegue a um acordo definitivo sobre isso. Afinal de contas, a Academia de Letras é o mais alto instituto que possuímos sobre assuntos desse gênero. Suas decisões deviam ser acatadas com respeito, uma vez que se admite que ela represente os valores máximos da nossa língua, que é a sua especialidade.

Se, porém, é o povo que manda na língua, e não os estudiosos, então, talvez a Academia devesse fazer a gentileza de mudar de opinião...

Como quer que seja, o que nos parece necessário é uma solução para o caso. Uma solução para as escolas ficarem sabendo a maneira por que devem ensinar a escrever o nome do Brasil. As crianças encontram-se sucessivamente, às vezes, com professoras partidárias dos dois casos. Cada uma se justifica sobre a ortografia que emprega. E, afinal, quem se atrapalha é sempre a criança, que fica sem saber qual das duas formas é a melhor.

Quatrocentos e trinta anos depois da descoberta de um país, não se saber ainda como escrever o seu nome é, na verdade, um caso raro.

Mas arredondaremos os 500 anos com a mesma dúvida se não vier um decreto com a solução definitiva, e, depois dele, um outro que o mande respeitar, para não acontecer o mesmo que ao primeiro, que só a Academia dá o bom exemplo de conhecer e atender...

Rio de Janeiro, *Diário de Notícias*, 22 de junho de 1930

O ensino secundário na opinião de um preparatoriano

Seria curioso observar o que pensa do sistema atual, das reformas presentes, passadas e futuras por que passa e ainda há de passar o ensino secundário um preparatoriano da última reforma, que veio depois da Reforma Rocha Vaz.

Foi o que fizemos.

– O ensino secundário? Mas de que época? Da atual? Mas o sistema atual vai mudar! Há um dispositivo que proíbe aos preparatorianos continuar os seus exames depois do corrente ano.

– Mas há um projeto na Câmara que aumenta o prazo marcado.

– Há. Mas, dá-se com ele o mesmo que se daria com uma ambulância que viesse socorrer uma vítima que já morreu.

– ?

– Vou explicar-lhe: Enquanto é votado o projeto salvador, o preparatoriano corre, perseguido pelas ameaças de um professor da velha escola, ou abandonado por outro da escola eterna: a indiferença. Há alunos que estudam, ou melhor, assistem a aulas de quatro e cinco matérias, cada qual mais complexa, e com programa mais vasto. (Os programas são sempre grandes. Quando mais não seja, serve para "épater"...). Esses alunos precisam prestar, dentro de poucos meses, exames de todas as matérias que lhes faltam, para acabar, para não voltar atrás, para não abandonar os estudos.

De repente, como um foguete festivo, estoura no ar a notícia da existência de um projeto salvador, que será discutido e votado na Câmara.

Há um zumbido, um "diz que diz que", e depois um alívio.

Surge então o imprevisto.

Alunos que se repartiram por quatro ou cinco matérias não conseguiram "aprender" duas ou três.

Chegam os exames.

Reprovações, desconsolos.

Ninguém sabe explicar por quê. Pois, então, alunos que iam acabar os seus preparatórios saem reprovados, depois de lhes ter sido tudo facilitado?... Movimentam-se as mães de família. Providências, aulas particulares, férias interrompidas, saúde arruinada, tudo para a segunda época, tribunal de última instância dos condenados de um regime absurdo.

– Como prevenir este perigo?

– Não me compete preveni-lo. Isso é da alçada de quem o criou. Limito-me a pedir providências a quem de direito.

– Mas a situação é irremediável?

– Não. Há um remédio, que, se não curar, há de com certeza fazer bem: é votar, quanto antes, um projeto que tem de ser votado, a não ser que se queira arruinar o futuro de dezenas de rapazes, comprometendo – perdoe a vaidade – uma parcela da grandeza do Brasil de amanhã, que tem servido, coitada, de tema para tantos discursos bombásticos...

Acabamos de ouvi-lo.

Ele lá ficou, debruçado sobre os livros, com um jeito vitorioso de que "falou à imprensa"...

Rio de Janeiro, *Diário de Notícias*, 21 de agosto de 1930

A responsabilidade dos reformadores

Todas as vezes que se inaugura uma reforma, qualquer que seja, aqueles que tiveram a glória de a chefiar ficam, por isso mesmo, obrigados a acompanhar a sua evolução, defendendo-a das injúrias que contra ela fatalmente atiram os elementos incapazes, os estagnados, os inadaptáveis ao futuro, os exploradores das conveniências, dos preconceitos e do lugar-comum.

Porque é preciso não perder de vista essa qualidade de gente cujo plano de vida se enraizou no egoísmo utilitarista, esses inimigos silenciosos de tudo que possa vir, pelo simples fato de que isso que vem pode deslocar do seu comodismo os que nele já estavam perfeitamente instalados e nutridos.

Defender uma ideia nova é imensamente mais grave que apresentá-la. É garantir-lhe a vida, assegurar a sua esperança; demonstrar aos idealistas que acreditam nas iniciativas generosas que não foi traída a sua confiança em acompanhá-las; permitir, finalmente, que se possa realizar aquilo que deve constituir a parte profunda de qualquer reforma: a transformação necessária de um ambiente ou de uma época.

Numa obra de reforma há a considerar duas fases: a inicial, em que se coloca o problema nos seus devidos termos, e a da efetivação, em que esse problema começa a palpitar no interesse dos que o compreenderam.

Algumas vezes acontece que, por motivos vários, aquele que teve a glória de conduzir à compreensão coletiva uma realidade nova, de que foi o emissário, não a pode deixar construída.

Chega, então, o momento de se levantar a voz daqueles que o acompanharam com entusiasmo, que se devem congregar para fazer num esforço de conjunto, o que o chefe, no seu posto, não conseguiu fazer.

Porque, para além dos que elaboram as grandes obras, estão, aparentemente alheios a elas, mas, na verdade, delas dependendo, aqueles que herdariam os seus resultados. Os longínquos pontos de chegada para o impulso idealista dos precursores.

Qual é a criatura humana que tem o direito de desiludir os que esperaram a sua promessa de vida melhor, e nela basearam suas futuras tentativas, também, tranquilizados por uma crença pura na verdade do espírito que as orientava?

Oh! a responsabilidade dos reformadores não se limita a sustentar a execução da sua reforma... Estende-se pela alma dos contemporâneos e dos pósteros. Dela decorre a amargura interior que envenena as gerações; o desgosto de viver que desvitaliza os povos: a dor de acreditar com toda a fé, que inutiliza as personalidades.

Por todas essas razões, fazer uma reforma é sempre assumir um formidável compromisso com a vida, a nacionalidade e as criaturas.

Num momento como o atual, em que, de todos os lados, surgem iniciativas bem-intencionadas, no terreno sutil da educação, é preciso que os condutores das fileiras mais avançadas se convençam de que estão sendo contemplados por todo um complexo futuro a que eles já prometeram motivos superiores de felicidade.

Não podem falhar num gesto: a fase de apresentação já passou, deixando um rastro de fulgurante esperança na alma sombria dos que a velha educação sacrificou.

Ou os reformadores de hoje terão a coragem de ser tão infinitos como prometeram, ou a terra gemerá com a sementeira de desgraças que a sua passagem fecundará.

Rio de Janeiro, *Diário de Notícias*, 29 de agosto de 1930

O Ministério da Educação Pública

A notícia, em circulação, de que o próximo governo criará o Ministério da Educação Pública, e, à sua frente, colocará o atual diretor de Instrução do Distrito Federal, é de imenso valor para quem se interessa pelo problema educacional.

A implantação da Reforma Fernando de Azevedo marca uma época no Brasil. Por muitas imperfeições que ainda contenha, e por maiores que sejam as dificuldades que o ambiente opõe à sua execução, ela, ainda que não tivesse dado mais que o abalo formidável que deu à escola do passado, teria, só por isso, mérito para ser louvada indefinidamente por quem quer que, desprendido de interesses pessoais, nada temendo, nem nada ambicionando, se saiba colocar à altura de ver o que convém à humanidade, antes de pensar no que a si mesmo convém.

Todos sabem, no entanto, que não foi esse o único fruto da reforma, até hoje. Ela conseguiu estimular as forças vivas do magistério; trouxe uma esperança nobre para os que se iam finando, desiludidos, na sombra do regime antigo; chamou a atenção para a criança com eloquência e elevação. Transformou o magistério de burocracia em apostolado.

Nada disso pode ser esquecido.

Nada disso pode ser posto à margem se o futuro governo pretende, pelo menos em matéria de ensino, oferecer algum benefício real à pátria.

Manter o sr. Fernando de Azevedo à frente do Ministério da Educação, no novo governo, seria permitir a mais séria tentativa que neste momento se poderia fazer em assunto educacional: a da completação de uma obra que o tempo não permitiu se desenvolvesse ainda suficientemente.

Pela observação dos erros e dos acertos da sua reforma, neste período de experiência, o sr. diretor de Instrução já deve ter chegado a muitas conclusões benéficas à sua obra. Continuar na administração seria, decerto, uma oportunidade para aplicar essas conclusões.

E nós, professores, que recebemos essa reforma como a realização de um sonho novo, que lhe demos a energia do nosso idealismo e a coragem do nosso apoio, por muitos que sejam os motivos de desilusão que dela nos tenham vindo, devemos, apesar de tudo, desejá-la como o maior dos bens.

Porque o que sofremos por essa reforma não nos vem dela; vem da incompreensão que a envolve; dos seus antagonistas; dos seus detratores, e, o que ainda é pior, dos seus falsos apologistas. Vem dos inimigos da reforma; vem dos que, por não poderem passar adiante, com ela, não a querem, também, deixar passar.

Contemplando a obra iniciada, comparando-a com a de tempos anteriores, sentem-se bem as diferenças que há entre o passado e o presente.

Os que hesitarem entre as duas épocas não merecem o nome de educadores.

De um lado é a condenação da vida; de outro, a sua promessa.

É bem verdade que, em compensação, o passado é fácil e o presente difícil.

Mas o educador tem de possuir um coração de herói.

E, acima de todos os íntimos desesperos, deve colocar o seu desejo de triunfo às gerações que amanhã chegam, inocentes dos erros e das amarguras dos que hoje trabalham por elas.

Rio de Janeiro, *Diário de Notícias*, 30 de agosto de 1930

Os programas inexequíveis

Um programa inexequível, além de uma fonte de aborrecimentos para os que o têm de cumprir, é uma péssima prova da capacidade de quem o organizou.

Isto vem agora a propósito da Reunião Educacional, que acumulou, de tal maneira, visitas, conferências, excursões, trocas de informações que, quando a festa acabar, os participantes dela terão de fazer, pelo menos, uma cura de repouso...

Antes ver pouco e bem do que muito e mal. Ora, parece que o programa da reunião se preocupou, principalmente, com a quantidade.

Nós ainda não sabemos, ao certo, – e o mesmo acontece a todo o professorado, excluída a parte que está diretamente participando do caso, – qual é a finalidade real desta reunião. É verdade que o programa fala em sugestões, dos vários dirigentes, sobre inovações pedagógicas... Mas, não sabemos que haja tantas inovações quanto os representantes de estados aqui presentes. Se não há, muitos vieram especialmente para ver o que temos aqui. Para ver e estudar a nossa situação. Bem sabemos que alguns não estão pensando nisso... Que não se sentem em condições de aprender... Mas os educadores aprendem sempre... São estudantes permanentes... Tanto melhores quanto mais estudam, porque o cérebro é de substância especial, que se oxida com a inércia...

Logo – e isto é indiscutível, – se há alguma coisa que figura num programa para ser vista, e se há pessoas que atendem ao convite de que faz parte esse programa, essas pessoas têm, pelo menos, de olhar, ainda que displicentemente...

O interesse parece que já não era muito. Não sabemos ainda por quê. Mas o que prejudicou muito mais esse interesse foi a inexequibilidade do programa organizado.

Daí as visitas apressadas, deixando pelo meio aulas a que era preciso assistir para depois julgar... Daí as conferências frustradas, as reuniões incompletas, as inaugurações de projetos pela metade, todas essas coisas inacabadas, e que, por isso mesmo, não chegam a ter nenhuma significação.

Parece-nos ser uma coisa muito importante e digna de ponderação uma reunião de dirigentes de Ensino dos estados, ainda quando a ela compareçam mais políticos do que técnicos... Como, pois, se tira a essa reunião toda a sua gravidade por uma organização que é uma obra-prima de desorganização?

Afinal de contas, esta Reunião Educacional se abrigou à sombra da Reforma Fernando de Azevedo, e arvorou-se em sua propagandista. Isso equivale a dizer que ela pretende pôr em destaque a figura do reformador do ensino do Distrito Federal.

Não seria inoportuna a seguinte pergunta: "Que pensará, desse caos, o nosso diretor de Instrução?"

Rio de Janeiro, *Diário de Notícias*, 26 de setembro de 1930

As crianças e a Revolução

Inúmeras vezes, durante o difícil período que acabamos de atravessar, refletimos sobre a situação dos professores, em relação a seus alunos, uma vez que o original feriado decretado, fazendo cessar todas as atividades que cessam em dias dessa natureza, deixava tudo, ao mesmo tempo, funcionar, exceto os bancos, – e, assim, funcionavam também as escolas.

Conhecendo de perto a criança, com as suas curiosidades, o seu entusiasmo por todas as ideias amplas, o seu desejo de participar das preocupações gerais e de ter uma opinião arrojada e idealista, imaginamos nesses duros tempos de censura as dificuldades em que se veriam os professores para sustentar uma neutralidade que o governo exigia e que, ao mesmo tempo, a sua consciência de educador não podia deixar de repelir.

Como conciliar todos os conceitos incoerentes que, sobre esta Revolução, se chocavam diariamente, na imprensa, nos comunicados oficiais, no parecer dos revolucionários e dos governistas, na imaginação de uns, no raciocínio de outros, na sinceridade e na mentira, na esperança e no desespero, enfim, de toda a nossa gente?

A certeza que temos, nós, os educadores, da gravidade de pousar na alma da criança qualquer impressão errônea destas coisas, levar-nos-ia já, espontaneamente, a uma reserva natural, se tudo isto não interessasse tão de perto às famílias, ao povo todo, se não estivessem todos suspensos numa contínua interrogação, e, entre tão desencontrados pensamentos, mais razoável não fosse esclarecer as crianças, de um ponto de vista superior, sobre a triste situação nacional.

No momento em que nos dispúnhamos a fazer algumas considerações a propósito da atitude dos professores em semelhante caso, chegou-nos à mão uma pequena cantiga escrita pelos alunos da segunda série primária da Escola Brasileira de Paquetá, em colaboração com o respectivo professor.

A cantiga, começada no dia 20 e terminada a 24, segundo a informação que a acompanha, diz:

O tigre e a pantera
Os reis do sertão,
Nos peitos de fera
Têm bom coração.

Cruel amargura
Matar seu irmão:
Só mesmo loucura
Ou negra ambição.

Se o irmão se rebela
Razão ele tem;
De freios e sela
Não vive ninguém.

Enfim se acabou
A Revolução!
A Paz já voltou
A toda a Nação.

Coro:
Irmãos novamente
Num gesto gentil,
Pensemos somente
Na Paz do Brasil.

Esta é, pois, a primeira contribuição, que conhecemos, das crianças à Revolução que nos veio trazer tão grande esperança de tempos mais puros e mais justos.

Sobre a parte pedagógica, teríamos muito a dizer, tanto mais que há muito nos preocupamos com o ensino feito mediante a poesia e a composição poética dos alunos. Mas esse seria já um outro assunto, que preferimos deixar para outra vez.

Por hoje, resta-nos apenas agradecer a gentileza da oferta da cantiga, em primeira mão, a esta "Página", agradecimento que envolve a maior simpatia pelas pequeninas criaturas que nesses vinte versos curtos e simples deixaram uma parte da sua vida, essa vida ainda sem desvarios, sem torpezas nem vícios – precisamente para a qual o Brasil Novo precisa ser uma realidade extraordinária, a fim de não desmentir o que nós, professores, afirmamos todos os dias nas escolas, e não desanimar o esforço generoso de todas as gerações de educadores que se vêm sustentando somente de uma crença infinita na sublimação do mundo, pela vontade dos homens.

Rio de Janeiro, *Diário de Notícias*, 30 de outubro de 1930

Educação e Revolução

Na formação de um mundo melhor, os educadores entram com a força da sua esperança, crendo que, na marcha das gerações, se irá operando uma transformação lenta mas segura de ideologia dos homens e dos povos, aproximando-se de uma condição mais perfeita, num mundo mais feliz.

Assim se explica a obstinação desses grandes sonhadores, que, através dos séculos, passaram, deixando um legado de conceitos mais puros, de ambições mais desinteressadas, de esforços distanciados de quaisquer objetivos práticos que pudessem favorecer os seus próprios apologistas.

Assim é feita a alma dos educadores: eles não desejam nem pedem nada para si. Vivem mergulhados na preocupação do futuro e daqueles que o habitarão, tentando diminuir os males que encontraram na época em que lhes coube viver, e argumentar o bem que porventura nele tenham encontrado, — fruto dos que antes deles trabalharam, por um ideal como o seu.

Muitas vezes, é certo, o educador sente toda a tristeza dessa lenta evolução em que ele atua quase despercebido pelos outros. Mas como não mede essa atuação por nenhuma recompensa imediata, perde de vista, às vezes, esse retardamento, e sente-se infinito, como um deus, tendo toda a eternidade para realizar o seu grandioso sonho.

Nem sempre, no entanto, é de tristeza ou de abstração o estado subjetivo do educador.

Há crises sociais tão grandes que lhe abalam todos os sentimentos, e ele, sentindo-se criatura humana, entre as criaturas humanas, pergunta a si mesmo, atônito e deslumbrado, se não é possível apressar o processo evolutivo por meio de uma violência qualquer, regeneradora, ainda que terrivelmente.

Ora, esse processo é a Revolução. Banidas todas as ideias que, frequentemente, maculam as revoluções, tornando-as suspeitas ao olhar idealista dos educadores, não há dúvida de que, ante uma grande possibilidade de melhorar a vida por uma violenta alteração da ordem das coisas, todos os educadores devem sentir-se e querer ser revolucionários.

A Revolução, que neste momento acaba de transformar o Brasil numa formidável esperança para o mundo inteiro, traz, no programa dos grandes nomes que a encarnam, todas as características de um movimento significativamente educativo.

Nela encontramos todas as qualidades de coragem superior, iniciativa, justiça, pureza, desinteresse e fraternidade que são os pontos essenciais de qualquer grande plano educacional.

Pode-se dizer que a pequena tentativa da formação brasileira que tivemos na reforma do ensino ampliou-se através de uma lente gigantesca, projetando-se em todas as atividades brasileiras, adquirindo, ao mesmo tempo, detalhes novos e mais perfeitos.

Certamente, o nosso magistério já sentiu tudo isso. É preciso agora que se integre nessa obra redentora, e nela integre a criança brasileira, que deverá receber consolidado e intato o Brasil Novo que esta Revolução fez nascer.

Rio de Janeiro, *Diário de Notícias*, 31 de outubro de 1930

Reformas

Em primeiro lugar, há que distinguir as reformas, pelas bases em que assentam e os objetivos a que visam, em duas categorias: as reformas que se fazem pelo simples gosto de mudar de lugar, pessoas ou coisas, e as que significam, propriamente, um novo rumo na vida, orientado por uma razão ideológica e visando a uma finalidade superior.

Desgraçadamente, uma grande quantidade de reformas que se têm operado no Brasil não tem sido senão uma troca de nomes e de situações. Daí, a sua fragilidade, porque os homens não são superiores uns aos outros senão quando os anima alguma profunda e grande inquietação dos problemas da vida inteira, e dos meios de os resolver.

Substituídos, apenas, os valores individuais no que têm de mais transitório, isto é, na aparência, as reformas assim realizadas subsistem, por algum tempo, como uma tendência a coisa diversa da anterior, mas logo se vão confundindo nessa geral inutilidade das coisas que não marcam época pela força irresistível que as determina e sustenta.

Pelo hábito de se considerarem as reformas já como produto do capricho de um ou outro administrador, são elas, também, frequentemente desrespeitadas, porque, com a sucessão das autoridades, novos interesses transtornam os planos anteriores, e os esforços sinceros que porventura uma ou outra vez tenham sido feitos são anulados pela inexorável ambição dos que chegam, e que, para a conquista do futuro, não se comovem com a ruína do presente.

Há reformas, porém, que surgem de uma confluência de todas as energias de uma época, que são uma consequência do processo da própria vida, e que têm raízes tão fundas que, ainda quando tolhidas ou contrariadas no momento que as fez nascer, vencem todos os obstáculos para se afirmarem, encontrando, sempre, uma atmosfera favorável para lhes assegurar existência íntegra, embora difícil.

A Reforma de Ensino do Distrito Federal pertence a este número.

Nós não tivemos uma alteração do processo educativo, ou, antes, uma substituição do velho regime de *ensinar* pelo novo regime de *educar*, pelo capricho ou curiosidade de um administrador. É preciso que os raros professores que ainda existem, apologistas das cartilhas e da burocracia, que fizeram da sua função uma arte de contar dias de serviço para promoção, e das suas relações, cortejadas e aduladas, a fórmula de se encontrarem sempre em situações de destaque, – é preciso que esses raros espécimes dos velhos tempos de escola-cárcere, se convençam, – ainda que não o declarem – que esta Reforma de Ensino marcou e marcará uma data na nossa civilização. Não importa que ela não tenha ainda frutificado amplamente. Os efeitos que veem lentamente nem por isso deixam de vir. Não importa que, aparentemente, se verifique uma tremenda confusão não só técnica como também administrativa. É natural que isso aconteça, porque, em todos os momentos de agitação, vem sempre à tona o limo das épocas serenas, e fica-se sem saber, no primeiro instante, se ele é um vestígio do passado ou floração do presente.

Mas, quando de novo se observar a sério a situação em que foi colocado, mundialmente, o nosso país, por esta reforma, a princípio tão hostilizada, e quando a sério, também, se pensar em lhe dar prosseguimento, ver-se-á que ela corresponde a tudo quanto de mais puro e perfeito vêm tentando os mais eminentes educadores para a formação da nova humanidade.

Ver-se-á que ela é, no meio do turvo regime de erros e males que a Revolução aboliu, o primeiro grito que se lançou por uma regeneração da vida mediante a perfeita realização de cada indivíduo, integrado na força das suas faculdades plenamente desenvolvidas e do seu ideal superiormente orientado.

Rio de Janeiro, *Diário de Notícias*, 8 de novembro de 1930

Sobre a Nova Educação

A Nova Educação, em todos os lugares por que tem passado, na sua marcha universal, encontra sempre, ao lado de defensores ardentes e entusiastas, detratores inclementes e, não raro, ferozes.

É natural que assim aconteça. Porque o magistério, em todas as partes do mundo – e não só o magistério, como a humanidade inteira, – compõe-se de duas falanges perfeitamente distintas: a dos homens medíocres e a dos que não são medíocres.

Será bom, neste momento, não considerarmos qual das duas é a mais numerosa, porque, quando a gente quer ser sincera de verdade, acontece dizer, sem más intenções, coisas desagradáveis de ouvir.

Bem. O que é certo, enfim, é que as duas falanges existem, perfeitamente definidas.

E quando qualquer ideia cai num cenário que tem espectadores assim, com uma visão própria do sítio em que estão colocados, de cada um dos campos opostos, tem de surgir uma opinião diversa.

Aparecem, desse modo, os apologistas e os detratores: os que afirmam e os que negam, os que aplaudem e os que pateiam.

Culpa da ideia? Não. Diferenças, apenas, de ponto de vista. Defeito, talvez, de visão. Daltonismo...

Façamos um esforço para dizer tudo: mediocridade de uns e perspicácia de outros.

Isso, falando de ideias, em geral.

Que dizer, agora, das ideias diretamente ligadas à Nova Educação?

A primeira coisa de que a Nova Educação precisa para ser admitida como realidade necessária, imprescindível, é da inteligência e compreensão dos que a observam e estudam. Nesse ponto, é verdadeiramente inexorável. Pela visão que dela tiverem os que a encararem, tem-se a medida da capacidade do observador. Revelam-se logo as possibilidades individuais, tremendamente.

Pode-se afirmar sem receio de erro que a penetração do sentido da Nova Educação é o mais formidável teste que podia ser criado para classificar os professores e os pais. De uma maneira mais ampla – os adultos.

Entre estes, conhecemos um inspetor escolar que dizia, certa vez, com infinita superioridade:

– A coisa mais necessária, neste momento, era aparecer alguém que dissesse, de uma vez, o que vem a ser a Nova Educação... (Estava esquecido de todas as bibliotecas de cultura especializada, que se publicam, em todas as línguas, sobre o assunto...)

Não sei se essa "autoridade constituída" já terá sido satisfeita na sua transcendente e originalíssima aspiração.

Mas, até hoje, temos o secreto desejo de lhe dizer, à guisa de resposta:

– Sr. inspetor, por favor, "inspecione-se"!...

Rio de Janeiro, *Diário de Notícias*, 12 de novembro de 1930

Sinal dos tempos

A Revolução de outubro, surdindo como a explosão de inquietudes, desassossegos, aspirações e desesperos, acumulados desde muito tempo, e tendo a formidável repercussão que teve em toda a parte da alma nacional que não estava, propriamente, em atividade, nesse movimento, recebendo-o quase como uma surpresa feliz, significa estarmos, realmente, preparados para uma transformação radical de toda a nossa vida, pois as alterações políticas não são fenômenos limitados a certos personagens, e certos cargos: representam, pelo contrário, a síntese das possibilidades coletivas.

Mais de uma vez temos chamado a atenção dos educadores para essa formidável esperança, embora sabendo que a muitos deles causará estranheza tamanho interesse por assunto que talvez lhes possa parecer alheio às suas cogitações.

Oxalá sejam esses em pequeno número, porque, do contrário, teríamos que verificar estar deslocada, neste momento, a parcela social que mais de perto devia estar observando cada palpitação desta nova época, naquela atitude de profunda atenção com que se acompanharam nos mapas, nos misteriosos vinte dias revolucionários, o rumo fantástico que o nosso pensamento criava, querendo adivinhar o desenlace da sua aflitiva dúvida.

Nenhuma classe, na verdade, precisa, como o magistério, estar clarividente neste período que transcorre.

As demais criaturas seguem atentamente os acontecimentos, analisam os homens e as situações, opinam, lutam, rejubilam-se ou desesperam-se. De tal maneira se estão debatendo no presente, de tal maneira estão construindo os fatos que lhes falta serenidade e ponto de vista para distinguirem que a sua ação não é para um momento, nem para os que nesse limitado momento vivem.

A Revolução de outubro é apenas um pórtico para uma idade nova. Os que o puderam erigir – com a força do seu ideal, feito tanto da forma abstrata dos pensamentos como da pobre forma concreta dos corpos despedaçados – não o fizeram para si mesmos. Eles sabem que não há proporção entre o tamanho de uma Revolução e o de uma vida...

Fizeram-no, pois, pelos outros, e para os outros, para os que vêm depois, para os que se sucedem, para os que nunca terminam, – para a própria vida que, dentro de um limite geográfico, costuma ter o nome de Pátria.

Aqueles, pois, a quem com mais razão pertence o Brasil Novo de agora são os que, ainda pequeninos, apenas puderam abrir grandes olhos cheios de perguntas vendo passar os aviões de 24, que deixaram no céu cinzento da manhã inesquecível a inicial de inquietação brasileira.

Essa inicial deve prolongar-se no nome todo do futuro, para uma outra gente, diversa desta que a engendrou.

Agora, ela é o sinal dos tempos diferentes. O anúncio do que virá.

Como poderá o professor, que prepara os homens vindouros, estar condignamente na sua situação, se lhe passarem despercebidos os detalhes de cada acontecimento desta Revolução, que é, igualmente, uma Revelação?

Rio de Janeiro, *Diário de Notícias*, 14 de novembro de 1930

O momento educacional

O momento educacional que atravessamos não admite opiniões contraditórias. Temos de acompanhar a evolução da vida, com a consciência esclarecida por experiências nossas e alheias, e amparadas já pela última Reforma de Ensino – única iniciativa que o próprio regime revolucionário não poderá atingir na sua orientação, entre as velhas coisas do regime passado, porque ela foi um raio de luz nova que, através de infinitas dificuldades, se conseguiu insinuar pela sombra daqueles tempos sem ideal.

E, relembrando o que foi a campanha que nos deu essa reforma, e imaginando o que vai ser, nos dias novos, o desenvolvimento do plano já traçado, e adotado nas suas linhas principais, ocorre-nos dizer alguma coisa sobre o perigo que corre no Brasil, – por esse vício de princípios que a Revolução deseja corrigir, – qualquer grande movimento social que de algum modo surpreenda a mentalidade geral.

Em primeiro lugar, convém uma confissão: a Reforma de Ensino até aqui só teve uma espécie de antagonista: as pessoas ignorantes.

Poder-me-iam objetar que também houve perversos. A perversidade é a forma ativa da ignorância, apenas. De modo que, em suma, os antagonistas da reforma não trouxeram, com a sua opinião, superficialmente ameaçadora, nenhum obstáculo sério à marcha educacional, pelos novos rumos.

O que foi, de certo modo, chocante, e poderia abalar o processo que transformou a escola suja, triste e anacrônica, do passado, na escola de transição, de hoje, com todo o tumulto das suas pesquisas e experiências, foi a arrogância com que muita gente, conceituada em certas rodas, se bem que não educacionais, começou a deitar o verbo, ora desvairado, ora pejorativo, sobre uma obra que, quando não fosse mais que a "tentativa de uma obra", tinha de merecer o respeito de todos, surgindo como a coisa mais pura de quarenta anos de democracia enlameados por venalidades e explorações.

O Brasil tem como grande desgraça a ser combatida a pseudoautoridade do "medalhão". O "medalhão", homem de "pose", dado à "intelectualidade", falador e gesticulador, dizendo coisas floridas e ocas, tem sido o nosso pior inimigo, em política, em literatura, em arte, em ciência, em administração.

O "medalhão" fala de tudo, muito de alto, como rei de todos os assuntos. E além de falar, escreve.

Ora, pela desgraça da desigualdade social, nem todos conhecem o mundo em que vivem, ainda quando esse mundo seja, apenas, por exemplo, a cidade do Rio de Janeiro.

E muita gente acredita no "medalhão". E até existe quem se fascine com o seu pseudoprestígio.

Os "medalhões" também se dão ao luxo de comentar coisas como a Reforma de Ensino...

E foram figuras dessas que andaram emitindo conceitos de fumaça para toldar a luz que vinha, sob a forma, tão desmoralizada, de lei, trazer ao Brasil-criança aquilo que a Revolução quis dar ao Brasil-humanidade.

Agora, quando a Diretoria de Instrução se normalizar, e se pensar a sério no que ela representa, na ordem das coisas, a Reforma de Ensino aparecerá em cena. Os "medalhões" aparecerão, também. Aparecerão com a sua ignorância, ou com algum estudozinho incipiente para dizer coisas "importantes".

Que atitude se faz necessária em tal contingência?

A Revolução triunfou... A Revolução está aí, sobre as vidas e as mortes que clamam redenção.

Os homens da Revolução terão de falar...

Nós ouviremos. Ouviremos com a mais profunda atenção.

Rio de Janeiro, *Diário de Notícias*, 25 de novembro de 1930

A responsabilidade da Revolução

Todos sentem, pelos nomes que surgem nos cartazes administrativos, em certos postos de relevo do novo regime, que os senhores da Revolução estão lutando com a gravíssima dificuldade de escolher pessoas realmente capazes de, nestes novos tempos, agir de acordo com a intenção dos idealistas que determinaram esta mudança na ordem das coisas, para transformação do Brasil.

Na verdade, não é fácil, em muitos casos, reunir todas as qualidades necessárias para se assumir um compromisso administrativo, sem prejudicar, sem ferir, sem atentar contra o plano revolucionário que é ainda a mais bela esperança de uma vida de realizações integrais, com elevada orientação e elevados objetivos.

E, nesta situação de incertezas, em que o egoísmo e o desinteresse, o sonho de progresso e o desejo de vinganças, o ideal e o ódio se debatem num conflito de resultados imprevisíveis, o problema educacional aguarda a sua sorte, entre a inquietude dos que se dedicaram à educação por um sentimento transcendente e os que dela se utilizam, profissionalmente, como simples burocratas assegurando a sua existência.

De modo que, sondando com o pensamento esclarecido por experiências diretas o nosso panorama vindouro, temos que avistar desde já duas classes diversas participando da agitação educacional: uma que reagirá contra as inovações do ensino, ou por ignorância ou por *parti pris*, querendo atacar indivíduos, estragando-lhes a obra; outra, consciente da atualidade, consciente da sua responsabilidade, consciente da situação brasileira, e disposta a assegurar para o Brasil do futuro aquilo que a Revolução lhe prometeu dar, e que já está antecipadamente pago pelo sangue do espírito e do corpo dos heróis de verdade desta Revolução.

Se é verdade que o governo agora respeita o interesse do povo, se ele respeita o seu próprio interesse de democracia purificada por esta agitação violenta e sangrenta, precisa refletir com a máxima precaução sobre as tristes consequências que advirão fatalmente se, ainda que com duração provisória, deixarem de ter o seu apoio os elementos esclarecidos e competentes, empenhados nesse conflito.

Porque os que vão aparecer pedindo ou insinuando retrocessos à obra da educação são os de alma "legalista", são os inimigos disfarçados da Revolução, são os que desejam o seu fracasso futuro, cortando, por uma dessas penadas arbitrárias, as possibilidades de evolução que o Brasil possa ter, através da obra educacional adequada aos tempos modernos.

Fazer revolução deve ser, com certeza, muito mais fácil do que *assegurar* revoluções... O passado do mundo nos mostra, aliás, essa necessidade de repetir a história para se consolidarem as aspirações. O exemplo deve servir para alguma coisa. Se viemos de um Brasil infelicitado pela má estrutura educacional dos seus próprios dirigentes, que corromperam com as suas práticas os próprios dirigidos bem-intencionados que houvesse, e se nos empenhamos em apagar a todo o transe a lembrança do passado maléfico, devemos fazê-lo não com palavras – oh! como o Brasil está fatigado de discursos! – mas com atos ponderados e justos.

O ato mais grave, talvez, que o governo terá a praticar será o que decidirá da sorte do problema educacional brasileiro. Para sua orientação possui duas obras educacionais que são o único legado de valor incontestável que por milagre nos deixou o regime passado: a Reforma de Ensino do Distrito Federal e a do Espírito Santo.

O que a Revolução fizer, em tal conjuntura, vai ser a definição do seu programa e, por ela, teremos a medida da envergadura dos seus homens.

Sabemos que a lábia humana encontra forças de audácia inesperadas, e sabe engendrar argumentos maquiavélicos...

Também se tiram conclusões acerca das criaturas e do seu valor pela resistência que revelam diante de certas sugestões...

Rio de Janeiro, *Diário de Notícias*, 27 de novembro de 1930

Uma declaração oportuna

Depois de me ouvir com o máximo interesse na exposição do estado atual do assunto entre nós e do programa que penso executar, assim como de algumas sugestões relativas a uma possível ampliação ulterior deste programa, tive a grande satisfação de ouvir s. ex.ª declarar que considera o problema da criança um dos mais importantes do momento atual, autorizando-me a tornar público o seu modo de pensar, bem como a sua intenção de favorecer de todos os modos uma eficiente campanha em prol da causa logo que o permitam as condições financeiras do país.

Essas palavras que constam da entrevista do sr. Olinto de Oliveira, ilustre pediatra e atual inspetor de higiene infantil, constituem, neste momento, uma declaração preciosíssima da atitude do sr. Getúlio Vargas, em face da infância brasileira, e uma das partes mais claramente definidas do seu programa de governo.

O presidente da República é, pois, a primeira personalidade administrativa que toma a palavra para situar os interesses da criança no seu justo lugar, embora esses interesses dependam de responsabilidades técnicas que ficam, assim, desde já, orientadas devidamente pela inteligência do chefe do país, e por ele protegidas.

Inúmeras vezes temos tratado aqui da causa da infância, antes e depois da Revolução, porque o problema da educação integral dos brasileiros se nos afigura o mais importante da atualidade, pelas consequências que dele derivam, por toda a extensão do nosso futuro.

O exame da nossa nacionalidade, da nossa consciência social, e, de todas as possibilidades nossas, resultantes diretas do que somos e do que formos, levam fatalmente a essa convicção.

O problema da educação – que não é o da instrução – está em tudo e em todos. Mas está principalmente na criança, em que todo o processo de construção individual se executa naturalmente, de acordo com a própria evolução biológica, devidamente favorecida.

E, por estar na criança, está na família e na escola – que são os ambientes complementares em que a sua existência se desenvolve.

A nova orientação pedagógica unindo a escola e o lar para permitir a formação mais perfeita da infância está, em ponto grande, refletida no programa da Revolução, que cria um Ministério do Trabalho e um Ministério da Educação – duas coisas que se completam admiravelmente. Um resolve as questões econômicas do lar, outro orienta e aproxima desse as questões da escola. E os benefícios sociais daí decorrentes terão de ser os mais auspiciosos. Terão de ser os mais auspiciosos, porém, se o Ministério da Educação abranger todo o vasto domínio que lhe compete: se chamar a si as creches, os jardins de infância, as escolas primárias, secundárias e superiores, traçando um grande plano de conjunto que desenvolva o que já existe, admiravelmente esboçado, em dois ou três estados, na parte referente à escola primária.

O Ministério do Trabalho estará cooperando com a sua parte de benefício educacional assegurando o bem-estar da família, – base indispensável à educação do indivíduo antes do seu nascimento, – através do respeito e amparo à futura mãe, coisa tão grave e tão descuidada ainda no presente.

Rio de Janeiro, *Diário de Notícias*, 4 de dezembro de 1930

As iniciativas educacionais de após-Revolução

Quando a Revolução agitou o Brasil de norte a sul, e, triunfante, apresentou o seu programa, a que a preocupação construtiva da nacionalidade emprestava um caráter nitidamente educacional, nós tínhamos três ou quatro reformas de ensino que eram, talvez, os únicos sintomas da vitalidade brasileira e a maior esperança de todos que acompanhavam com verdadeiro e profundo interesse os destinos da pátria.

Não se poderia pretender que, no pouco tempo da sua atuação, pudesse já o novo regime estabelecer os necessários planos para a organização educacional do Brasil Novo, embora se pudesse exigir que preservasse tudo quanto encontrou, organizado e em experimentação, porque – sabendo-se, como se sabe, que destruir é fácil e construir difícil – é sempre grande imprudência deitar por terra trabalhos lentamente elaborados, à custa de muito esforço e de muita boa vontade inteligente.

Em que condições estão as reformas de ensino, que a Revolução encontrou organizadas, postas em prática eficientemente, e constituindo uma antecipação do seu próprio movimento, e núcleos de projeção capazes de assegurar a sua ideologia, pelo tempo afora, vencendo as resistências das circunstâncias que os movimentos súbitos abalam, mas nem sempre destroem?

Não nos compete responder.

Mas, seja qual for a resposta, ainda há esperanças, alimentando a obra educacional indispensável ao Brasil de hoje.

Primeiro, foi essa iniciativa de estudantes, fundando, aqui no Rio, um centro destinado a estudar a elaboração de um plano educacional completo – o plano que sugerem as reformas até aqui implantadas, e a que as circunstâncias impuseram um raio de ação limitado, malgrado a amplidão do espírito que as determinava.

Em seguida, um telegrama de São Paulo, anunciando que o interventor João Alberto projetava realizações de caráter educacional, naquele estado, abriu-nos perspectivas promissoras, tanto mais quanto é para esperar que, com o professor Lourenço Filho à frente do ensino paulista, seja possível projetar-se e pôr-se em prática alguma coisa que não venha trair os interesses da criança.

A recente organização de uma Sociedade de Filosofia em que estudantes e professores tenham oportunidade de trocar ideias sobre o assunto, acrescida da declaração de seus organizadores de desejarem alguma coisa mais viva, mais sincera do que as faculdades demasiado acadêmicas, e com larguezas de vista que permitam a auscultação do pensamento humano em todas as suas variações, representa também um sinal bem claro da orientação para que se dispõem os novos tempos e as novas gerações.

Chega-nos agora um telegrama do Nordeste com uma notícia igualmente simpática. Na cidade de Santa Cruz, no estado do Rio Grande do Norte, foi fundada a Sociedade Educacional Santa-Cruzense, que se dedicará – diz o telegrama – à educação moral e física de seus associados.

Não é possível adivinhar o que seja, em tão remoto sítio, uma agremiação cujo programa nos chega apenas em duas linhas. Mas, uma sociedade que se denomina "educacional" deve saber o que está fazendo: porque a palavra *educação* é uma das mais graves e das mais nítidas da presente época.

Admitindo, pois, que não esteja mal empregada, – como o desejamos – trata-se de mais um caso, a registrar, do interesse que o problema educacional começa a tomar entre nós, e nos mais inesperados pontos.

Porque a verdade é esta: a educação é uma aspiração coletiva, obscura, ainda, no subconsciente do povo, mas perfeitamente clara para os olhos dos que lhe sondam as inquietações.

É uma aspiração tão geral, tão profunda, tão intensa e extensa, que a própria Revolução não passou de um apelo para a transformação integral de que o Brasil carece: e só a educação, todos sabem, produz transformações integrais...

Rio de Janeiro, *Diário de Notícias*, 19 de dezembro de 1930

Um problema em evolução

Não há muito tempo, tivemos ocasião de nos referir com entusiasmo ao propósito do interventor João Alberto, de tocar no problema da educação paulista. Antecipávamos que o grande estado, tendo à frente do ensino o professor Lourenço Filho, que sabe bem o que são as questões educacionais, nos dias de hoje, não poderia deixar de elaborar uma reforma de acordo com a ideologia moderna que anima, aliás, a própria Revolução brasileira.

Nessa ocasião nos referimos, também, à organização de uma sociedade educacional numa afastada cidade do Rio Grande do Norte. E, somando a essas iniciativas duas organizações de alto valor pedagógico em que se acha empenhada a nossa mocidade – o Centro de Estudantes Livres e a Sociedade de Psicologia e Filosofia – concluíamos com as melhores esperanças sobre o surto educacional do Brasil.

Temos, hoje, mais uma notícia a registrar: o telégrafo nos informa que a comissão especial, incumbida pelo interventor Areia Leão de estabelecer um projeto de reforma da Instrução Pública no Piauí, já concluiu os seus trabalhos, tendo entregado ao chefe do governo as conclusões a que chegou.

Ora, o simples fato de um interventor pensar, nestes poucos dias de atuação, no problema educacional, como digno de estudo, é singularmente significativo.

Não vamos discutir se a Reforma de Instrução do Piauí corresponderá ao que se deseja, dentro das necessidades brasileiras, porque, de tão longe, seria difícil uma apreciação justa. Queremos é acentuar que o problema educacional está vindo à tona em vários pontos do país e repetir, mais uma vez, que se nesses vários pontos se lhe der a solução adequada, teremos conseguido para toda a nação as mais favoráveis condições para a garantia da transformação que sustenta os ideais revolucionários.

Do interventor João Alberto conhecemos dois atos recentes, sobre o assunto: ambos de caráter administrativo. Consistirá neles, apenas, a reforma à que aludiam telegramas anteriores? Ou serão, antes, uma preparação para ela? Continuamos em expectativa.

Informações futuras nos dirão também o estado em que fica colocado o ensino piauiense.

Aí temos, pois, duas esperanças.

Como não acreditamos que, no Distrito Federal, nenhum administrador queira dar uma prova pública de incapacidade, perturbando a situação em que encontrou a nossa Reforma de Ensino, que, aliás, tem, para a defender, a mocidade interessada em articulá-la com a Reforma Universitária, contamos, desde já, não com a esperança, mas com a certeza da boa marcha dos assuntos educacionais nesta capital.

Minas conserva ainda a sua reforma, que, apesar de alguns males originais, é, sem dúvida, um grande passo em pedagogia. Quase tão grande como o do Distrito Federal e o do Espírito Santo.

Quanto a esse estado, – que foi feito da sua reforma? De uma reforma que agitara os mais vários e modernos detalhes do ensino, que se estava irradiando conscienciosamente pelo povo e, na última Reunião Educacional aqui efetuada, se manteve no mesmo plano da Reforma do Distrito Federal, pelo simples valor das suas realizações?

Certamente, terá havido, no estado, outras preocupações, mais urgentes, que a abafaram momentaneamente. Porque é dever principal da Revolução preservar as boas coisas encontradas, uma vez que a sua preocupação está em realizar coisas boas... A não ser que queira melhorar mais...

Essas reformas existentes e mais outras que os interventores inteligentes irão promovendo noutros estados são o esboço da fórmula fecunda com que o governo poderá consolidar a sua obra. As transformações superficiais são efêmeras. É preciso transformar o povo através da obra grandiosa da educação nacional.

Rio de Janeiro, *Diário de Notícias*, 27 de dezembro de 1930

Espírito de justiça

O interesse com que acompanhamos o movimento revolucionário, por lhe termos emprestado esse caráter de transformação social que ainda hoje supomos ser o conteúdo das "ideias novas" a que, desde o princípio se vêm referindo, embora um pouco imprecisamente, as figuras mais notáveis da Revolução, obriga-nos a crer no espírito de justiça que deve orientar esse movimento, pois é impossível querer corrigir e reformar de mãos dadas com a injustiça, irmã de todos os erros.

Admitindo, pois, esse indispensável espírito de justiça, na realização da obra do Brasil Novo, temos de fazer a seguinte pergunta: – Tudo quanto se empreendeu, no regime passado, teria sido, absolutamente, ruim? Será preciso, então, varrer todo o passado brasileiro e construir desde... desde onde?

Acreditamos que poucas sejam as coisas *inteiramente* aproveitáveis no Brasil realizado até o advento da Revolução. Parece mesmo que até então havia pouco interesse em *realizar o Brasil*. Bem. Os revolucionários querem justamente isso, que era assunto de apagada importância, no regime que combateram. E têm de pôr mãos à obra, para que qualquer dia não venha alguém dizer deles o mesmo que eles disseram dos outros...

Têm de pôr mãos à obra. Desde onde vão começar a construir? Não sei. E tenho a impertinência de crer que muita gente não saberá, também, como eu...

Porque se tudo for inaproveitável...

Não: vamos pensar razoavelmente, e com *justiça*. Há uma obra, pelo menos, que se salva, de todo o grande caos passado. Há uma obra, que, embora suscetível de desenvolvimento, contém em si todo o Brasil, e, por isso mesmo, merece particular atenção do governo atual: a obra de educação projetada na Reforma de Ensino do Distrito Federal.

Não sabemos como terá sido vista essa obra por aqueles que se empenharam no movimento de transformação brasileira, da distância em que a viram realizar-se: talvez não lhe tenham podido surpreender o justo valor. Convirá, pois, vê-la bem de perto, e com olhos bem esclarecidos.

Um dos argumentos que poderiam servir para mostrar o seu conteúdo é a guerra que sofreu, para ser implantada, por parte dos elementos enraizados em preconceitos conservadores, que condenam todas as inovações, aprioristicamente, e de olhos fechados, pelo instintivo horror de renovação que caracteriza aqueles que não progredirão mais.

Tudo isso já tivemos ocasião de dizer aqui, mais de uma vez. E mais de uma vez afirmamos que nesta reforma estava realmente contido, e com a sua vitalidade assegurada, o gérmen de transformação brasileira que a Revolução achou por bem apressar.

Esta Revolução, pois, sob pena de se tornar contraditória e imperdoavelmente injusta, deve considerar com elevação a única obra que, dentro de um regime de erros e fraquezas, nasceu com um destino diferente, e uma ansiedade melhor de futuro e de humanidade.

Rio de Janeiro, *Diário de Notícias*, 14 de janeiro de 1931

O canto do galo

Até alguns anos atrás, os domínios escolares estavam numa pacata sonolência, com os seus velhos compêndios de perguntas e respostas, prontas, os seus programas e horários, de cuja divisão não se podia sair, as suas diretoras e os seus inspetores olhando – de uma maneira geral – a escola muito de alto, e promovendo as professoras mais camaradas, com esse maternal sentimento que até então fazia da vida assim uma espécie de obra de caridade, entre amigos.

Um dia, começaram a aparecer aqui e ali sintomas de que o movimento de renovação ideológica que atravessa o mundo também encontrava nestas plagas um eco de simpatia. Eco de simpatia que se manifestava no terreno mais sensível, mais plástico e mais adequado para novas modelações – embora, por isso mesmo, exigindo dos que sobre ele atuam uma integridade profunda, uma noção absoluta de responsabilidade, e um respeito completo pela liberdade humana – a criança.

Nasceram, assim, as reformas de *ensino*, que são, antes de tudo, reformas de *educação*.

Tivemos a de Minas, com alguns defeitos gravíssimos, tivemos a do Distrito Federal, carecendo, apenas, de mais desenvolvimento; tivemos a do Espírito Santo, por fim, que, com grandes qualidades, não pode ainda apresentar resultados definitivos.

Enquanto essas reformas se operavam, enquanto meia dúzia de criaturas bem-intencionadas se esforçavam por uma transformação do Brasil através a obra educacional, – os que não podiam acompanhar o passo dessa meia dúzia, mas não queriam também perder a oportunidade do título de educadores, entendidos e idealistas, iam fazendo o que podiam, ouvindo o galo cantar, sem saberem, ao certo, onde...

E pela sedução do canto do galo tem havido por aí coisas lamentáveis...

Ora, uma dessas coisas lamentáveis é este decreto chegadinho agora do estado do Rio:

> Art. 1º – Sob o regime adotado no presente decreto, e subordinadas à Secretaria de Estado de Agricultura e Obras Públicas, são fundidas em uma só, sob a denominação de "Escola do Trabalho", as atuais escolas profissionais Washington Luís e Visconde de Morais, cujo curso se comporá dos ofícios e matéria do programa atual.
> Art. 2º – Anexo à Escola do Trabalho, funcionará o "Aprendizado Agrícola Visconde de Morais", cujo ensino será oportunamente regulamentado.
> Art. 3º – O pessoal titulado das escolas profissionais Washington Luís e Visconde de Morais poderá ser aproveitado na organização da Escola do Trabalho, bem como os respectivos maquinismos, oficinas e material existentes.
> Art. 4º – Enquanto não for expedido novo regulamento, a Escola do Trabalho regular-se-á, em tudo que lhe for aplicável, pelo regulamento baixado com o decreto 2.380, de 14 de janeiro de 1929.
> Art. 5º – Subsistirão as atuais instituições complementares da Escola Profissional Washington Luís.
> Art. 6º – Revogam-se as disposições em contrário.
> Os secretários de Estado do Interior e Justiça e Agricultura e Obras Públicas assim o tenham entendido e façam executar. Palácio do governo. Niterói, em 19 de janeiro de 1931. (aa) *Plínio Casado. – César Nascentes Tinoco. – Brasiliano Americano Freire.*

Que espécie de inovação será essa de fundir duas escolas profissionais sob o título, que as unifica, de Escola do Trabalho?

No conceito moderno de educação, dentro dos rumos pedagógicos reputados indispensáveis à execução dessa obra, aboliu-se a prática das aulas, consideradas como funções independentes, substituindo-as por uma função geral – a atividade escolar – que é o trabalho de conjunto dos alunos, socializados na comunidade da escola.

Trabalho: aprendizado da vida; prática da vida; experiência da vida. Um mundo em miniatura movido pelos seus interesses sabiamente suscitados, num ambiente favorável ao desenvolvimento de todas as suas possibilidades humanas. Essa atividade é que dá à escola moderna o seu nome de Escola do Trabalho, expressão, aliás, sinônima de Escola da Vida, por exemplo, pela relação que estabelece entre a Vida e o Trabalho, na sua grande acepção.

Chamar Escola do Trabalho a duas escolas profissionais... – será pensando que nelas é que se trabalha, porque são profissionais? Ou será porque se está remodelando o ensino também no estado do Rio?

É atroz, realmente! Por que se foi cometer semelhante atrocidade logo com o problema da educação, que está exigindo, neste momento, um interesse inteligente para o defender?

E por que se foi dar essa prova terrível de desconhecimento da questão que, em si só, envolve todo o espírito revolucionário da época e dá a medida dos patronos do Brasil de hoje?

Diante de uma coisa assim, é pasmar de assombro e perguntar com mágoa: "Quem seria o pseudopedagogo que ouviu o galo cantar e pôs mãos à obra, sem ter ouvido bem?"

Quem seria? O caso é grave. Merecia uma averiguação. Porque piores do que os não entendidos que combatem, de vez em quando, as reformas educacionais, por gosto de dar à língua, são os não entendidos que resolvem "aderir" aos renovadores e aderem desta maneira comprometedora para ambas as partes...

Rio de Janeiro, *Diário de Notícias*, 21 de janeiro de 1931

O momento atual e o verdadeiro sentido da educação

Com a criação do Ministério da Educação o movimento de reformas de ensino entrou em efervescência.

Propositalmente digo reformas de *ensino*. É só observar: a opinião do povo, ainda pouco esclarecido em tais assuntos, a de alguns jornais, que, apesar de possivelmente bem-intencionados, não estão, no entanto, dentro de plena compreensão do problema, e a de algumas autoridades que também, ao que parece, não possuem uma visão de totalidade da questão, tudo isso está gerando uma porção de tentativas desarticuladas, que surgem aqui e ali, e que até agora tudo leva a crer venham a ter soluções particulares, e desarticuladas também.

Teremos assim, com o ritmo que se está dando às coisas, uma reforma de *ensino* secundário, uma de *ensino* superior, uma de *ensino* artístico, talvez uma universidade de trabalho etc.

E, no entanto, a época, – e o Brasil, saindo da Revolução, devia saber disso, devia ter isso por ideologia – não é mais de *ensino*. A época é de educação. Quem quer que não entenda do assunto pensará que é mera questão de palavras. Não. É questão de finalidades. *Ensinar* não é mais um ideal para os nossos dias. Fornecer ou assimilar uma quantidade maior ou menor de conhecimentos é coisa na maioria dos casos completamente inútil, e, muitas vezes, até prejudicial.

A educação, tal como se entende hoje, projeta-se para muito longe, no futuro, e mantém, para com aqueles em que se reflete, relações de outra espécie que as das técnicas e seus métodos.

Lembremos as palavras proferidas na Primeira Convenção Internacional de Professores, reunida há três anos em Buenos Aires:

> La nueva educación debe propender a una sociedad humana más justa que la nuestra, en la cual se respeten las diversidades de valores morales, intelectuales

> *y profesionales como condiciones de cooperación eficaz, demandando toda superioridad una mayor contribución en pro del mejoramiento humano general.*

Essas palavras, que são uma síntese da preocupação dos pedagogos, sociólogos e pensadores modernos, vão, como se vê, muito além das questões puramente de *ensino*.

E é por isso que esses planos desarticulados que ora surgem se revelam como uma anomalia no organismo educacional que o Brasil tem não só o direito de pretender realizar como até o *dever* de construir, para afirmar uma ideologia para esta Revolução que de norte a sul o comoveu com esperanças.

É preciso que não se veja mais no estudante o simples estudante, mas o homem, mas o brasileiro – digamos, particularizando mais.

Não é razoável, não é inteligente estar modificando a situação do *estudante* secundário ou superior. O que é preciso é atender à *mocidade* que elabora sua vida, segundo o ritmo biológico, conjugado ao ritmo social.

> *La infancia, la adolescencia y la juventud son periodos de valor psicobiológico proprio, caracterizados por intereses y necesidades que se complementan en la construcción de una individualidad socialmente eficiente. La educación atiende el desarrollo integral del ser en crecimiento y dando a cada periodo el valor que corresponde, sin romper la unidad del proceso vital. Los distintos grados de la enseñanza corresponden a cada una de las etapas del desarrollo del individuo pero todos ellos deben ser sólo partes de un todo infragmentable. Cada grado tiene valor propio en cuanto periodo de la vida, pero conservando la unidad del proceso integral de la vida misma, que es un solo.*

Por isso é que se tem de concluir que só o encadeamento dos vários graus de ensino pode dar solução ao nosso caso. Solução, aliás, já facilitada pela reforma do ensino primário, que fica sendo a base de todo trabalho posterior.

Mas isso tem de ser realização de educadores, em colaboração com estudantes, cientistas, artistas, – todas as forças vivas do país.

Evitar, antes de tudo, as forças políticas, manifestas ou disfarçadas. Evitar todos os sectarismos. Tratar o problema, que é de educação, com finalidade educacional.

A Revolução que baniu os políticos da política não os pôde admitir sem incoerência em assuntos onde eles seriam um fermento de confusão.

E, ainda entre os que se filiam às classes apontadas para uma boa realização da obra educacional, o governo devia ter a sutileza de discernir os simples declamadores dos estudiosos. Os que falam um quilômetro e trabalham um milímetro. Senão, teremos uma literatura copiosa, e uma realidade mesquinha como aquele camundongo que nasceu da montanha...

Rio de Janeiro, *Diário de Notícias*, 1º de fevereiro de 1931

Um compromisso da Revolução

Aquela débil esperança que tão heroicamente defendiam os idealistas brasileiros, antes de outubro passado, animou-se com uma seiva nova, desde que a Revolução inaugurou novos tempos para o Brasil.

O sonho esparso de algumas criaturas jamais conformadas com as realidades antigas sustenta-se hoje da força da responsabilidade daqueles que se reuniram para, com um súbito movimento, abalar a estrutura do regime anterior.

E assim nos encontramos, no pórtico desta era nova, em uma atitude de confiança que é, por si só, garantia da edificação nacional, tantas vezes desejada, e tantas vezes desiludida.

Entre os grandes idealistas do passado impõe-se por um destaque singular o dr. Frota Pessoa, subdiretor administrativo de Instrução Pública. O convívio cotidiano com as questões do magistério primário deu-lhe um conhecimento direto do assunto que nenhuma outra pessoa pode pretender possuir. E a sua brilhante e aguda inteligência tornou esse conhecimento de uma profundidade e exatidão que não podem, de maneira alguma, ser postas à parte, quando se pensar a sério em qualquer tentativa de realização da própria Reforma Fernando de Azevedo. Melhor do que ninguém, conhece ele essa reforma, pelas opiniões e sugestões que sobre ela recolheu, durante o tempo da sua ativa implantação.

Nessas condições, é preciso ouvir o dr. Frota Pessoa, a respeito do nosso momento educacional, e aprender, com o seu conhecimento vívido, o que temos e o que nos falta.

Nada melhor, para esse fim, que ler este seu livro recém-publicado, *A realidade brasileira*, cheio de excelentes informações sobre a situação das nossas escolas.

Nada melhor do que ler esse livro. Porque nele se sente palpitar, de verdade, a flama daquele idealismo que vinha de tão longe procurando um campo de ação eficiente e que agora penetra no novo regime cheio de confiança e de fé, certo de que a Revolução sustentará um compromisso de honra:

o da formação dos futuros brasileiros, dentro dos moldes indispensáveis da ideologia dos grandes educadores.

> O maior problema, todavia – diz este livro – é o da educação das novas gerações, aproveitando-se o impulso das ideias modernas, predominantes e vitoriosas em todo o mundo, e já introduzidas no Brasil nestes seis últimos anos.
> Este é o dever para com o Brasil futuro. Mais ainda. Esta é a condição para que qualquer reforma política, administrativa ou social possa perdurar.
> Um governo clarividente, ao elaborar o orçamento para o Brasil deste instante, terá primeiro que talhar, na renda que espera obter dos tributos impostos à Nação, a parte devida à educação popular, seja qual for a soma a que atinja essa estimativa.
> E só depois proverá os demais dispêndios públicos, porque qualquer destes poderá ser reduzido ou protelado, mas as novas gerações brasileiras, ora destinadas a perpetuar no futuro a miséria do Brasil de hoje, estas não podem esperar, porque, a cada ano que decorre, se avoluma o número dos incapazes e dos desgraçados.

Há observações que passam facilmente despercebidas. Esta não o pode passar, porque vem de uma pessoa que, à força de inteligência, de trabalho, de obstinação e de idealismo, conquistou o direito que só raros possuem, de ser uma autoridade no assunto.

Rio de Janeiro, *Diário de Notícias*, 13 de fevereiro de 1931

O espírito da Nova Educação

Cada vez que me vem às mãos um livro ou um artigo sobre as tendências modernas da educação, a primeira coisa que eu percebo é a ânsia em que todos os pensamentos se encontram de percorrer um caminho para chegar a uma finalidade.

Tal finalidade é tudo. A formação do indivíduo e a sua atuação na coletividade mantêm-se como um foco da grande inquietude. E só isso é permanente. O método, a fórmula de ação, o mecanismo – isso varia, porque constitui, justamente, a sucessão de experiências através as quais se procura atingir o mais eficientemente possível o fim supremo.

Esse fim supremo é pois, também, o fim primordial. Sua existência determina as experiências, que lhe são, por uso mesmo, posteriores.

E, por isso, é inútil desejar fazer qualquer transformação de ordem mais ampla, no mundo, se não preexistir uma ideologia que a anime, que a sustente, que seja a sua própria razão de ser.

Em matéria de ensino, antes dos métodos, antes da preocupação das escolas, das teorias, dos autores, precisa haver uma consciência definida do sentido educacional. Depois disso, tudo se faz com facilidade, porque é simples encontrar um meio de agir, quando se precisou já perfeitamente a órbita e a finalidade da ação.

Ora, nós estamos, neste momento, diante de uma bela esperança para o magistério brasileiro.

O curso de *Mme*. Artus Perrelet, que se inaugura segunda-feira, na Escola de Belas-Artes, vem trazer ao nosso professorado, conjuntamente, processos novos de ensino e um sentido de direção que, pessoalmente, se poderá apreender melhor do que na leitura ainda que palpitante e vívida dos livros.

Não estamos diante de um curso meramente instrutivo. Ele tem uma significação mais ampla, agora que é mister trabalhar a sério na organização do Brasil, e a formação dos brasileiros aparece como problema fundamental.

Num instante de transição, em que se sente vacilar a iniciativa educacional, malgrado toda a elevação e a força do idealismo sem declínio dos que a sustentam desde o seu advento, o concurso de uma grande educadora de mérito já comprovado, vem trazer à nossa campanha de renovação elementos vitais que lhe assegurarão pleno triunfo.

O professorado que acorrer ao curso da ilustre educadora certamente sentirá uma grande surpresa, vendo ser vivido, diante de si, integralmente, o sentido da Nova Educação. Esse professorado não sucumbirá sob frias preleções, memorizadas. Ouvirá traduzir-se em palavras uma sentida compreensão da vida humana, e perceberá toda a ligação que existe entre o processo de educação e o de viver.

Terá essa alegria de "se descobrir", – que deslumbrou uma professora de Minas, para quem os jogos educativos pareciam, antes, banais e difíceis, ao mesmo tempo.

Quando eles lhe foram explicados pela sua autora, com aquele entusiasmo criador que é a característica de *Mme.* Artus, a professora mineira teve um movimento de espanto, e exclamou:

– Oh! mas isso é um mundo novo... Isso é uma visão diferente... Não era assim que eu tinha compreendido... Não era assim que eu os tinha experimentado...

Porque um método é um método, nada mais... E a nova educação e a vida são outra coisa. Muito mais alta, muito mais difícil de penetrar, mas também muito mais admirável, depois de vencida essa dificuldade.

Rio de Janeiro, *Diário de Notícias*, 7 de março de 1931

A educação como fundamento das revoluções

Panait Istrati, essa extraordinária organização de poeta que tantas coisas maravilhosas nos tem revelado sobre a alma dos homens, através a confissão da sua própria alma, disse certa vez que acreditava nas revoluções que tivessem por fundamento a preocupação da infância.

E é certo que disse então uma verdade profunda, porque a criança, mais do que ninguém, é uma base para a transformação do futuro, capaz de garantir a durabilidade da experiência de novos rumos que cada revolução superiormente concebida sustenta e impõe.

Pensei em Panait Istrati lendo agora, em carta particular que me chega de longe, da velha e sempre nova Europa. Nela se analisam os últimos acontecimentos revolucionários da Espanha e os seus chefes, e a sua ideologia.

Diz ela, a certa altura:

> Eu não sei o que admirar mais aqui: se a belíssima moral dos revolucionários, que, uma vez fracassado o primeiro movimento se entregam à prisão reclamando cada um a sua porção de responsabilidade, e aí se mantêm esperançosos e confiantes no futuro, se o sacrifício de Galán e García Hernández que, uma vez derrotados, souberam morrer como verdadeiros heróis, autênticos heróis, porque havia neles *consciência*, ou seja, o que falta a muitos a que a História celebra como heróis.

E mais adiante:

> Outra coisa que admiro é a forma pela qual os maiores intelectuais da Espanha fazem hoje a propaganda do seu ideal. Ortega y Gasset, o seu maior filósofo, Gregorio Marañón, o seu maior médico e grande cientista, Pérez de Ayala, o maior romancista, e Antonio Machado, o seu maior poeta, lançaram-se na campanha de pregar o ideal republicano.

> Eles porém, segundo afirmam, não querem fazer discursos melodramáticos, não. Eles estão numa campanha de educação popular. Querem conduzir o espírito do povo até o ideal por que se batem. E a prova disso está em que o movimento não começou em Madri, mas na província.

Ora, essa maneira de elevar o povo a um ideal é, sem dúvida nenhuma, uma fórmula educativa. Eis por que transcrevo neste "Comentário" as observações entusiásticas desta carta.

E entre educar o povo e educar a criança, em última análise, não há diferença nenhuma. O povo que se educa para um ideal, só já não está educado para ele porque lhe faltou na infância uma devida atuação para isso.

Mas a criança que foi conduzida desde cedo – não para um sectarismo qualquer, não para um dogmatismo, o que seria a contradição da própria noção de liberdade, – mas para uma atitude superior de total desenvolvimento que lhe permita refletir acerca da sua existência na terra, e das circunstâncias ligadas a essa condição, essa sabe sustentar e defender um ideal, firmando-o, ou pelo processo sereno da evolução lenta, ou, como se faz indispensável muitas vezes, pela súbita força das revoluções.

Em qualquer caso, é esse ideal que está agindo. É esse sonho de conquista de um outro nível de vida.

E justamente o que a elite espanhola faz neste momento é propagar o seu ideal, mesmo entre aqueles que, por ausência de preparo para se encontrarem neste instante, no mesmo nível dela, são, no entanto, os que constituem a mais verdadeira razão de ser dessa aspiração.

Porque, quem conhece os grandes nomes citados nessa carta, não acredita que eles estejam servindo à Revolução para a conquista de cargos... Tem de crer que a servem para transformar a vida. Para torná-la melhor para toda a coletividade. E essa maneira de conduzir a humanidade, para um lugar sempre mais belo e de liberdade sempre mais perfeita, é obra educativa, onde quer que se realize, e quaisquer que sejam os seus processos.

Rio de Janeiro, *Diário de Notícias*, 11 de março de 1931

Pedagogia de ministro...

Há tempos, tive em mãos uma carta de Ferrière em que ele comentava os acontecimentos educacionais de certo país, chamando a atenção para a nocividade dos interesses políticos, pessoais e partidários, quando se insinuavam em qualquer iniciativa de educação.

As atitudes do sr. Francisco Campos, refletindo-se nos vários atos do ministro da Educação, absolutamente incompatíveis com os ideais avançados de democracia que todas as pessoas de boa-fé supuseram existir na Revolução de outubro, estão afirmando cada dia a verdade dura e profunda das palavras de Ferrière.

Quando incertamente se anunciava a criação desse ministério complexo, que reúne as questões de saúde pública e as de educação, com o nome vetusto de Ministério da Instrução, nós tivemos ensejo de sugerir que o título apropriado para a nova pasta não era esse, mas o que ora possui, de Ministério da Educação. Parece que a sugestão foi acolhida, ou brotou lá dentro dele, também, porque a verdade é que foi aceita.

Mas quando nós falávamos em Ministério da Educação estávamos esperando, realmente, uma coisa dessa espécie. Puseram lá o sr. Francisco Campos. Olhávamos para o nome, e perguntávamos: "Como agirá o autor da precária Reforma de Ensino mineira, à frente de um ministério de tamanha responsabilidade? Que pedagogo, afinal, seria o sr. Francisco Campos?"

E ficamos em observação. Infelizmente, ficamos...

Ouvimos falar numa porção de reformas... Começamos a compreender que a educação, no conceito do sr. ministro, não era propriamente *educação*, como esperávamos, de acordo com as preocupações que conhecemos, neste momento, em todas as partes do mundo, da América do Norte à América do Sul e da Europa ao Extremo Oriente... Para o sr. ministro, a educação, do seu ministério, era uma questão de *ensino*... Data daí o nosso desapontamento, e a tristeza de termos concorrido para dar um nome atual a uma coisa velha como estava predestinado a ser o Ministério da Instrução...

Vieram as reformas, e os estudantes já se encarregaram o mais eloquentemente possível de mostrar o que pensam a respeito. Ora, como as reformas devem servir aos estudantes, porque é pelo fato de haver estudantes que existem ministérios de educação e ministros, não teríamos nada mais a dizer se, pelo regime em que os nossos estudantes secundários e superiores têm vivido até aqui não os soubéssemos ainda sem uma orientação bem definida sobre os problemas gravíssimos levantados por estas reformas, e dos quais eles viram principalmente a parte mais exterior, representada na iniquidade das taxas.

Íamos, pois, proceder à análise completa, que ainda não foi feita, da situação universitária, em todos os países que seguem o ritmo evolutivo do mundo, para podermos focalizar a nossa situação, – desiludidos de que ao menos esse serviço prestassem à nossa mocidade os ilustres figurões incumbidos de a dirigirem.

Mas o sr. Francisco Campos parece que resolveu dar cada dia uma prova mais convincente de que não entende mesmo nada, absolutamente, de pedagogia. Que a sua pedagogia é uma *pedagogia de ministro*, isto é, politicagem...

E assim, antes que aqui tivéssemos estudado o caso das reformas, deixou desabar, do seu ministério para as mãos do sr. Getúlio Vargas, um decreto tornando *obrigatório* o ensino religioso nas escolas.

Ora, a educação, no nosso tempo, é uma fórmula de levar as criaturas à liberdade, pelo desenvolvimento de todas as suas aptidões; a verificação de todas as experiências humanas passadas e presentes, orientadas por um superior critério de responsabilidade. Daí, todas as obrigatoriedades atentarem contra o espírito da Escola Nova, que é apenas um aspecto da vida no século que atravessamos.

Sob pena de sermos retrógrados, temos de estar de acordo com o tempo. Sob pena de sermos tiranos, temos de nos submeter à sua ética.

O sr. Francisco Campos acaba de demonstrar que não sabe estas coisas, absolutamente vulgares, na pedagogia corrente...

Seu ministério, que já tinha decaído de *educação* em *instrução*, por obra das reformas, acaba de ser extinto. Extinto pelo próprio ministro. Porque qualquer professorinha sabe que religião é uma coisa e educação é outra. Educação é um problema de liberdade: preparo do homem para se orientar por si. Religião é catequese: subordinação do homem ao interesse de uma seita, ou de um indivíduo. Nem sequer de Deus.

Que pensará de semelhante coisa o sr. Getúlio Vargas, que quis ter os destinos do Brasil na sua mão, prometendo-lhe um futuro, se não melhor, pelo menos mais democrático, mais livre?

Rio de Janeiro, *Diário de Notícias*, 30 de abril de 1931

Perguntas para o ar

O sr. Francisco Campos, que se está celebrizando pelas coisas trocadas que faz, tem feito perder de vista todos os outros elementos que ocupam indevidamente cargos de natureza educacional.

Isso, decerto, causa uma vasta alegria aos outros, que se veem retirados à sombra discreta em que os colocou o inesperado *recordman*.

Mas é tempo de se lançar um golpe de vista a esses esquecidos, para ver em que ponto vão as suas realizações, e se já mudaram de lugar, depois das aventuras do ministro da Saúde Pública.

Primeiramente, – que é feito daquelas famosas circulares que todo o mundo ficou esperando, para saber qual é aproximadamente a situação do ensino, através as declarações, possivelmente fidedignas, dos senhores inspetores escolares?

Que é feito de um boletim de educação, que tivemos, noutros tempos, e que nos dá suspiros saudosos, quando vemos o empenho com que, por exemplo, o professor Lourenço Filho está cuidando da "Escola Nova", órgão oficial da Diretoria de Instrução de São Paulo?

Que é feito de um famoso Conselho de Educação, que se reunia, para tratar dos problemas da sua alçada? Não existe mais o Conselho? Ou não existirão mais os problemas?

Que é feito da Subdiretoria Técnica de Instrução, que, como o nome indica, foi criada para cuidar de assuntos técnicos – e esses assuntos ninguém vê?...

Que é feito, também, da Reforma Fernando de Azevedo, que, segundo me disseram, vai vigorar, "em todos os pontos úteis"?

Eu, evidentemente, estou fazendo estas perguntas para o ar...

Faço-as para o ar mesmo de propósito, porque, neste tempo de milagres, é mais fácil vir daí alguma resposta que do pobre vulgo profano...

Seja como for, porém, respondidas ou não, as perguntas que aqui deixo envolvem assuntos sérios, que certamente devem ser resolvidos por um governo que se mostrou tão interessado com a causa da educação, que até criou um ministério especial. É verdade que o ministro extinguiu o ministério. Mas naturalmente... não extinguiu o governo... Ora, se o governo tinha aquelas louváveis intenções, no começo, precisa perseverar nelas, – porque eram realmente boas. E se o sr. Francisco Campos preferiu ficar sendo só ministro da Saúde Pública, ou, num gesto de verdadeiro desinteresse, renunciou ao cargo de ministro para ser só legionário romano, – o governo deve interessar-se pela educação primária, por essa reforma, que todos estão exaustos de afirmar excelente. Tão excelente que ainda nem sequer conseguiu ser estragada. Essa resistência é uma prova de valor, – não deve ser esquecida.

(Está claro que eu estou falando para o ar.

Mas é como nós todos vamos acabar falando. Porque, como se vê cá na terra, todos os que deviam responder estão mudos, e os que deviam ouvir ensurdeceram...)

Rio de Janeiro, *Diário de Notícias*, 8 de maio de 1931

O sr. Fernando de Azevedo e a atual situação do ensino

No artigo que ontem publicamos, do dr. Fernando de Azevedo, especialmente escrito para esta "Página", o que imensamente nos honra, uma coisa ressalta desde logo, aos olhos daqueles que ainda desconhecessem o valor da Reforma de Ensino do Distrito Federal, projetada e iniciada pelo ilustre ex-diretor de Instrução Pública: o contraste entre os tempos passados e os presentes; a enorme diferença do ambiente em que se situavam as questões de educação no regime findo e em que hoje estão sendo elas situadas.

Nós estávamos, primeiramente, vegetando como num mundo de mortos, numa sombria atmosfera de rotina invencível, onde todos os esforços tentados fracassavam, pela ausência de elementos propícios ao seu desenvolvimento e expansão. O dr. Fernando de Azevedo, nesse mundo de sombras, em que os gestos, raros e inúteis, se mecanizavam num ritual anacrônico, teve uma audácia incrível, sonhando a obra educacional que, enfim, chegou a ser o início magnífico de uma realidade fecundíssima.

Dizemos o sr. Fernando de Azevedo como diríamos qualquer outro nome que tivesse tido a mesma audácia e a predestinação de a realizar. Depois de um formidável esforço, lutando contra correntes contrárias, retrógradas, obscuras e interesseiras, depois desse combate gigantesco das ideias novas contra as ideias decrépitas, pertencentes a um outro meio e a uma realidade extinta, o Brasil conseguiu possuir em si uma reforma de educação que contém todos os elementos vitais capazes de lhe dar resistência contra as mais sinistras invasões do velho espírito por ela mesma desalojado dos seus domínios.

Esses elementos vitais, que constituem a própria base da reforma, já foram por mais de uma vez detalhadamente expostos, nos tempos em que se preparava o professorado para a compreensão do movimento transformador que se ia operando.

Não obstante, depois de posta em execução a Reforma Fernando de Azevedo, experimentada em todos os seus pontos, compreendida, aplicada, e reconhecida como excelente por este professorado incansável que ainda é uma honra para o Brasil, – chegamos a esta tristíssima verificação: existe ainda um pequeno núcleo de responsáveis diretos para a formação do Brasil que parece ignorar completa e profundamente não só o valor desta formidável obra do Distrito Federal como a de outras tentativas idênticas, que se ergueram em nosso país, e que são a mais admirável expressão do seu adiantamento e da sua própria vitalidade.

O artigo do sr. Fernando de Azevedo, expondo, agora, nesta crise que atravessa a Instrução Pública entre nós, os pontos básicos da sua obra inteligentíssima na última administração, é um choque formidável neste ambiente atual, mais estagnado, talvez, que o anterior à reforma.

Um choque formidável, porque põe num terrível contraste o passado e o presente, o que podia ter sido com o que, desgraçadamente, é.

Antes da reforma, compreendia-se um ambiente como o atual. Depois dela, não só não se compreende como também não se perdoa.

Fazer uma grande obra nem todos a podem fazer. Mas respeitá-la e favorecê-la, isso, sim, já é mais fácil, e depende até menos da inteligência, que da boa vontade daqueles a quem ela é confiada.

Falando mais uma vez da sua reforma, o dr. Fernando de Azevedo fez, sem o querer, o mais espantoso balanço da nossa atividade educacional posterior à Revolução.

Acabando de ler o seu artigo, fica-se perplexo, e pensa-se: "Havia, então, essa obra!... E que é feito dela?" Mas ninguém sabe...

Rio de Janeiro, *Diário de Notícias*, 7 de junho de 1931

Um ofício do sr. Bergamini

O que eu acho mais interessante neste ofício que o sr. Adolfo Bergamini acaba de enviar à Diretoria de Instrução, a propósito do ensino profissional, é a preocupação com que o interventor acautela a Reforma Fernando de Azevedo, com uma evidente inquietação de que alguma afoita e inexperiente mão a possa estragar, burocraticamente, com algumas rápidas penadas inconscientes...

Esta precaução do interventor já vem de longe. E, pelo que ando vendo, o criador da Reforma de Ensino do Distrito Federal ainda acabará por lhe ficar devendo a salvação da sua obra que, afinal de contas, parece a única obra de projeção profunda e infinita que até hoje se tentou no Brasil.

Ora, se o sr. Adolfo Bergamini quisesse, realmente, neste instante de distrações gerais, fazer alguma coisa pela sua terra, alguma coisa de significação altíssima, capaz de o radicar para sempre ao nosso futuro, capaz de o pôr num lugar de destaque excepcional, na admiração de todas as inteligências autênticas e de todas as simpatias fecundas, eu lhe sugeriria – pedindo desculpas de o ousar – que tomasse nas mãos e amparasse, declarada e definitivamente, a questão educacional, que muito pouca gente sabe o que é e ninguém está atendendo, aqui na capital do país, como seria de desejar, isto é, como se faz, cada dia, mais imprescindível e urgente.

O sr. Adolfo Bergamini, no cargo que ocupa, encontrará possibilidades para um estudo seguro desse problema, e, ao mesmo tempo, das soluções que o esperam e das pessoas capazes e incapazes de lhas dar.

Tendo participado sempre tão diretamente da política do Distrito Federal, o interventor não pode deixar de conhecer de perto a Reforma Fernando de Azevedo em toda a sua alta significação. Deve saber que é a única esperança que possuímos para a transformação verdadeira deste Brasil que a Revolução de outubro agitou, deslocou, mas não teve poder para reformar, justamente porque não havia, sob os escombros do regime caído, uma estrutura nacional já consolidada, capaz de emergir, depois da catástrofe, completa e íntegra, para desenvolver o programa do seu destino.

Essa estrutura é uma obra de educação. E o ponto de partida para essa obra é essa reforma que tanto custou a vir, e, agora, tanto custa a se fazer compreendida pelos que ficaram responsáveis por ela.

Para não falar em coisas ainda mais mesquinhas, basta lembrar a intervenção malfazeja do decreto do sr. Francisco Campos, que, para indignação de todas as criaturas bem-intencionadas, se atreveu a promover uma futura calamidade para favorecer as suas pretensões políticas.

Aí temos nesse decreto sobre o ensino religioso uma grave ameaça para a obra de educação, tal como se acha planejada na reforma. Porque a reforma, como todos os movimentos educacionais da atualidade, tendo de servir ao desenvolvimento biológico da criança, não pode admitir em si preocupações religiosas, sejam elas quais forem, que virão prejudicar o seu próprio sentido, a sua própria ideologia, a sua própria base. Aliás, dizem-me que o sr. Francisco Campos sabia disso, quando foi da introdução do ensino religioso na Reforma de Ensino de Minas. Depois, infelizmente, se esqueceu...

Mas o sr. Adolfo Bergamini, cujas convicções já muitas vezes se explanaram em público, o sr. Bergamini que, dentro da Prefeitura, ao que ouço dizer, está tentando uma administração perseverante e honesta, pode e deve se lembrar dessas coisas, estudá-las no seu aspecto mais justo, mais puro, mais brasileiro e mais humano.

Num ambiente em que todos parecem errar de propósito, se o sr. Bergamini quisesse firmemente acertar, realizaria uma obra espantosa, e, ao mesmo tempo, de uma facilidade enorme. Porque o problema de educação já não é um enigma a ser decifrado. Não. Está prontinho, estudado, feito como o ovo de Colombo. A questão é que ninguém o vê. A princípio eu pensava que era por falta de olhos. Mas não é não. Olhos há. A razão deve ser mais profunda, e, infelizmente, ainda mais irremediável...

Rio de Janeiro, *Diário de Notícias*, 11 de junho de 1931

É hora do espetáculo...

... **M**as é possível que agora as coisas tomem outro rumo, graças a esta aproximação que se vai fazer de dois elementos de real valor – os srs. Frota Pessoa e Anísio Teixeira – mais um elemento verdadeiramente esforçado – o dr. Paulo Maranhão – dessa ignorada e sonolenta companhia que da Revolução para cá se instalou na Diretoria de Instrução Pública.

Já um *observador* sagaz e malicioso revelava, há dias, o seu espanto pela feliz indicação do nome do ex-diretor de Instrução da Bahia para a Comissão de Estudo do Ensino Profissional, espanto proveniente do tremendo contraste dessa escolha acertada com o descaso que estas incríveis, inexplicáveis e calamitosas ocupações dos postos principais do ensino primário deixavam pressupor, da parte do governo revolucionário.

Toda a esperança da parte clarividente do magistério carioca se volta, agora, para as novas figuras que se destacam nos cargos de evidência em que vão operar.

Não há nada como a ação para revelar o valor dos personagens.

Os senhores viram o caso do sr. Francisco Campos. Veio precedido de uma fama extraordinária de menino-prodígio. A cada passo era citada a Reforma de Ensino mineira, que nós sempre aplaudimos com restrições, como a obra glorificadora do sábio de Indaiá. A reforma já trazia, no seu bojo agourento, o fantasma do clericalismo, para uma gestação demorada, capciosa, elaboração de um pavoroso nascimento que um dia talvez ainda queira desgraçar o Brasil.

Quando se falava nisso, diziam os admiradores do legionário: "Não, isso foi intervenção do sr. Antônio Carlos... – o sr. Antônio Carlos tinha as mãos lavadas da tentativa nefanda..."

Pois sim. Nós já conhecemos muito a vida. Já temos surpresas muito limitadas... Deixem vir o sr. Francisco Campos...

E ele aí está. Que foi que fez como ministro da Educação? Fez política contra o PRM... Para isso, não valia a pena, francamente, ter sido nomeado para tão alto e importante cargo...

Anunciou uma reforma que apareceu aos pedaços, confusa, como arrancada a ferros do seu cérebro reputado genial. Todos os jornais protestaram, protestaram os interessados, um por um, e o ministro ficou indo e vindo entre o Rio e Minas, como se não tivesse a responsabilidade formidável do cargo que lhe deram e com o qual, infelizmente, não se contentou. E ainda arranjou o decreto sobre o ensino religioso, como última e desgraçada manobra para se inutilizar como ministro da Educação...

Eis como a ação se encarrega de revelar os personagens. Hoje, ninguém mais acredita que existia Ministério da Educação. Absolutamente não existe. Existe ainda o da Saúde Pública. Ou, se o da Educação existe, está, na realidade, acéfalo: porque o sr. Francisco Campos se encarregou de demonstrar, entre a repulsão dos homens sinceros, dos homens capazes, dos homens idealistas, que não quer servir ao seu cargo, nem o pode fazer; que deseja ser chefe da Legião de Outubro, que deseja combater o PRM, e apoderar-se de Minas, – se acaso, a esta hora, por outras sugestões da sua mórbida ambição, não tiver já mudado de ideias e de planos...

Essa é a história de um ex-ministro da Educação que, se tivesse aplicado a inteligência que lhe emprestavam ao posto com que foi aquinhoado, talvez tivesse realizado alguma coisa interessante no ambiente educacional do Brasil.

Pois na Instrução Pública a situação não é melhor. Só é mais prudente. Mais discreta. Aqui, nem sequer há o arrojo de mandar fardar alguns milhares de homens, para uma parada carnavalesca. Aqui há burocracia. Circulares misteriosas, despachos desvairados, sonolência de papéis que dormem um mês inteiro à espera de uma assinatura, e essas picuinhas que são a delícia dos que não fazem nada: intriguinhas, perseguiçõezinhas, palavrinhas, sorrisinhos... Tudo assim no diminutivo...

Está claro que as coisas se passam na sombra, como convém, nesta cena de ilusionismo e prestidigitação...

Mas agora as luzes vão ser acesas. Anuncia-se a entrada de outros personagens. De personagens que não poderão trabalhar com idênticos processos. E, pois, que a ação vai começar, estejamos atentos, para vermos como é, ao certo, cada personagem antigo e novo...

Rio de Janeiro, *Diário de Notícias*, 14 de junho de 1931

Aquele decreto...

Aquele decreto é, precisamente como o leitor já imaginou, o do sr. Francisco Campos, pois, por mais que o tempo passe e o governo permaneça silencioso, como uma esfinge, a gente não consegue dormir tranquila com essa ameaça horrorosa sob o sono e a mudez do governo.

Aquele decreto já encontrou um protesto unânime da parte de todos os adeptos de todas as religiões, excetuando, está claro, o catolicismo, que, com isso, se compromete gravemente, como dando a entender que é o mais direto interessado em toda a questão.

É verdade que já me disseram que esse decreto é considerado pelo sr. Getúlio Vargas como uma *experiência*. Experiência, aí, leva consigo o caráter de provisoriedade. Mas experiência de quê? Da opinião pública? Da força política das várias seitas religiosas? Da superstição popular? Ou da paciência dos brasileiros? Não o consegui saber. *Experiência*. Nada mais.

É verdade também que, segundo me dizem, o sr. Francisco Campos não faz segredo diante das pessoas competentes, justificando o seu grave erro como ocupante da pasta da Educação, estabelecendo o ensino religioso nas escolas e atribuindo-o a necessidades políticas...

Tudo isso, porém, são coisas inconsistentes, insustentáveis, coisas que não servem senão para mostrar a fragilidade com que estão sendo tratados os nossos problemas mais sérios, mais importantes, os mais definitivos na formação da nacionalidade e, ao mesmo tempo, na segurança pacífica do país.

Eu quero dizer aqui, hoje, alguma coisa a respeito dos protestos que continuam a ser feitos à insensibilidade assombrosa do governo, e que, além de partirem dos representantes de vários credos, partem, também, dos estudantes das nossas escolas secundárias e superiores, o que representa alguma coisa digna de ser estudada com atenção por um governo esclarecido, pois nunca a opinião da mocidade teve tão autêntica importância como agora, e nunca os homens cheios de consciência do seu valor deveram temer tanto como agora a força transbordante dos jovens.

Enquanto os estudantes se esforçam em levar até o sr. Getúlio Vargas a clara manifestação do seu pensamento – e são os homens novos do Brasil, o poder construtivo da pátria, a verdadeira força do futuro – contrário ao nefando decreto, – só um oficiozinho com umas trinta assinaturas de nomes, que até pareciam propositalmente compridos, e um telegrama dos subúrbios e outro do interior manifestaram ao mesmo sr. Getúlio Vargas a alegria de alguns católicos entusiasmados com a aplicação do decreto.

Nessa desigualdade de condições, se a experiência do sr. ditador não tivesse finalidades tão sutis que nem chegam a ser surpreendidas, e a política do sr. ministro não fosse tão confusa para assim ficar pairando aquém ou além da mentalidade das criaturas de boa vontade, não haveria outro caminho senão o da revogação do decreto. Porque, evidentemente quanto aos interessados, aos interessados de mais perto, que são os estudantes, já está, ao que parece, feita a avaliação dos critérios.

Só se estão esperando pelos ofícios das crianças das escolas primárias... E como este país é o mais exótico do mundo, não será difícil que qualquer dia até as criancinhas analfabetas apareçam assinando com uma cruzinha um telegrama de felicitações ao ministro que faz política pessoal com a educação do povo, e ao ditador que, afinal de contas, está fazendo uma estranha experiência com esse mesmo povo que, não obstante, nele concentrou toda a força da sua pobre e amarga esperança... Concentrou e concentra...

Rio de Janeiro, *Diário de Notícias*, 18 de junho de 1931

O homem que salvou o Brasil

Não assisti à peça. Mas li o exemplar que o autor bondosamente me enviou e fiquei procurando, depois, quem poderia encarnar, neste momento, com fidelidade, o tipo de Tupã Gonçalves.

Como o leitor naturalmente sabe, *O homem que salvou o Brasil* tinha por programa o combate ao analfabetismo. Para ele, o mal do Brasil era básico. Estava na educação popular, ou, antes, na sua ausência... E Tupã Gonçalves, pressentindo muito bem esse mal, limitava-o apenas à falta de letras no elemento popular, exatamente como fazem todos os entusiastas de boa vontade que não andam muito a par das questões de pedagogia.

Esse personagem de Paulo Magalhães é bem nosso, com o seu entusiasmo, os seus erros, e a sua crença no milagre do alfabeto e dos atos ministeriais...

Porque a verdade é esta: o alfabeto não adianta nada, se marchar sozinho por esses sertões do Brasil. Nós precisamos de saúde, precisamos de alegria, precisamos de liberdade autêntica, primeiro. Precisamos "tomar conhecimento de nós mesmos", para depois podermos fazer alguma coisa com o alfabeto.

Imaginemos, de fato que, repentinamente, de norte a sul do Brasil, e de leste a oeste todos fossem capazes de ler e escrever. Que iriam fazer com isso?

Limito-me a fazer esta pergunta, e a deixar que o leitor lhe surpreenda a alarmante resposta.

Para começar a ler alguma coisa de atual, que os informasse a respeito da terra e da gente – o que me parece essencial para uma nacionalidade, – os nossos bons caboclos começariam a ler os jornais. Ora, todo o mundo sabe que o jornal exige uma inteligência apuradíssima, para ser compreendido, uma vez que é quase impossível dizerem dois a mesma coisa do mesmo modo e, às vezes, até se encontrar o mesmo ponto de vista da primeira à última coluna de um jornal só...

Os recém-alfabetizados começariam a ficar tontos logo nos primeiros exercícios, e receio que acabassem desalfabetizando-se voluntariamente...

Isso só no que diz respeito ao jornal, – leitura trivial, comum, barata, ao alcance de todos... E, se em vez de jornal lhes dessem a ler livros? Dentro em pouco teríamos alastrado pela vastidão do Brasil a praga de bacharéis de que ainda não nos livramos no litoral...

Que perspectiva tremenda!

Mas, desgraçadamente, *O homem que salvou o Brasil* é uma realidade de todos os dias. Deste momento, principalmente. Deste momento em que se reúne uma comissão especial para resolver o problema de *salvar o Brasil*...

Mas quem será o *salvador*? Com isso é que eu não atino. Pode ser o sr. Francisco Campos, cujo programa ainda está com os tempos da catequese... Pode ser, também, o sr. Leonel Franca, pelos mesmos motivos... Podem ser os acadêmicos Miguel Couto e Aloísio de Castro... Todos esses estão perfeitamente de acordo com os pontos de vista de Tupã Gonçalves. Com a diferença de serem muito menos entusiastas...

O único que não pode ser Tupã Gonçalves é, precisamente, o autor do projeto, o sr. João Simplício. Porque, de todos, só ele seria capaz de ver a questão com mais atualidade. E, por isso mesmo, o Brasil não se salvará, apesar da peça de Paulo Magalhães, apesar deste "Comentário", e nem que todos os dias do ano fossem o dia primeiro de abril...

Rio de Janeiro, *Diário de Notícias*, 10 de julho de 1931

A educação em São Paulo

Por mais de uma vez nos temos referido com a mais desinteressada simpatia à obra educacional que vem realizando em São Paulo o professor Lourenço Filho, obra invejável, evidentemente, para nós, que, depois da imensa esperança que nos trouxe a Reforma Fernando de Azevedo, vimos fechar num túmulo o nosso ensino primário, sob as mãos desilusoras da Revolução de outubro.

O professor Lourenço Filho, em meio à agitação geral, que fez da era de reconstrução do país uma série interminável de casos políticos, fatigantes e sem resultado, trabalha perseverantemente pela educação paulista, apresentando, em lugar de discursos e entrevistas, demonstrações práticas da sua atividade excelente.

A revista mantida pela Secretaria de Instrução de São Paulo é neste momento algo de muito interessante, que justifica plenamente a intenção do professor Lourenço Filho no seu programa de ação: "expor e não impor".

Só com a publicação constante desse órgão nos moldes novos que lhe criou o distinto professor, o magistério paulista ganhará uma capacidade de conhecimento dosado e metodizado capaz de lhe facilitar todas as iniciativas. Mas há outras realizações, ainda.

Como não estamos fazendo aqui nenhum paralelo, nem nos queremos referir à situação absolutamente mísera da nossa Instrução Pública, onde parecem todos ter morrido asfixiados, exceto o dr. Frota Pessoa, que em vão continua a erguer a chama do seu idealismo sobre tão triste cemitério... Mas o contraste seria eloquente.

Assim, a obra da educação em São Paulo tem tido no professor Lourenço Filho um trabalhador eficiente, que em menos de um ano estabeleceu a única realidade de valor no panorama geral de iniciativas úteis que todos esperam encontrar no programa revolucionário, até hoje desconhecido.

E, por sentirmos que a sua ação esclarecida e eficiente vem dando, não só a São Paulo, mas, consequentemente, a todo o Brasil, um rumo seguro e indispensável no instante presente, é que nos afligimos com a ideia de qualquer perturbação que possa esse rumo sofrer, motivada pelos abalos políticos que estão acometendo todo o país e, particularmente, o grande estado vizinho.

Por muito que desejemos confiar na visão clara e certeira dos homens do governo, as manobras desastradas do sr. Francisco Campos, até hoje sem correção; a paralisação da Reforma Fernando de Azevedo, caída, por um golpe de prestidigitação, em mãos inábeis, das quais só talvez um golpe feliz do interventor Bergamini a possa, como se espera, salvar; e toda essa confusão que reina de norte a sul, fazendo passar para o segundo plano o interesse mais vital do país, que é o da educação popular, – somos levados a temer pela sorte da única realidade boa que vemos à distância, é verdade, mas que amamos tanto como se a tivéssemos aqui, – porque ainda não nos conseguimos dobrar à superstição de nenhuma fronteira.

Afinal de contas, é preciso que não se erre demais. Porque, por fim, se perderá a paciência.

Os tenentes, os generais, as espadas, os aviões e os boatos atravessam o Brasil de um lado a outro, sem se saber onde tudo isto vai parar.

E o professor Lourenço Filho trabalha.

Seria um crime imperdoável que uma dessas espadas ou um desses aviões, por imprudência ou ignorância, fosse deslocar do seu lugar a única peça acertada que ainda não sabemos por que milagre foi parar na engrenagem do Brasil Novo, por cujo funcionamento estamos todos, há tanto tempo, esperando...

Rio de Janeiro, *Diário de Notícias*, 24 de julho de 1931

A crise educacional

O que todos nós lamentamos neste governo, que recebemos com entusiasmo, e para cujo advento trabalhamos com a maior boa-fé, um profundo idealismo e completo desinteresse, é a porção de tempo perdido que representam para o Brasil estes dez meses de ditadura.

Noutros ramos da administração não é da nossa competência analisar. Mas, em matéria de educação, estamos há dez meses sem movimento, – ou, o que ainda é pior, com movimentos convulsivos, de vez em quando, que bem revelam o estado anormal a que a revolução, nesse particular, nos conduziu.

Mas o mais grave não é, por exemplo, que o Ministério da Educação e a Diretoria de Instrução se empenham, porfiadamente, nessa aposta de mostrar qual dos dois aparelhos técnicos é capaz de cometer maior número de erros, e mais graves, dentro do mesmo espaço de tempo. Não. Isso é até, de certo modo, divertido, além de singularmente instrutivo quanto às personalidades em jogo e às suas extravagantes e originalíssimas ideias negativas. O que consterna é a espécie de alheamento do chefe do governo, em meio a todas as questões suscitadas pelo súbito desmoronamento de tantos desacertos simultâneos, surpreendentes e incorrigíveis.

Ninguém vai acreditar que o dr. Getúlio Vargas não tenha conhecimento dessas questões e, consequentemente, dos erros que as fizeram surgir. Porque os brasileiros não são gente desvairada que se ponha a combater quixotescamente coisas inexistentes. As razões de combate são todos os dias trazidas a público. Argumentadas. Definidas com uma nitidez capaz de deslumbrar o menos entendido do assunto.

Por outro lado não queremos admitir, – em consequência dessa mesma nitidez – que os termos do problema passem despercebidos às vistas do chefe do governo, responsável pelos acontecimentos do regime de que se incumbiu.

Vemo-nos, então, na contingência de acreditar que o problema educacional não está no programa revolucionário, como ponto importante a tratar.

E perguntamo-nos, então, de que maneira pode vir a ser feita a "regeneração" do Brasil, uma vez que os golpes revolucionários, neste país, não são ainda suficientes para mudar a situação nacional, justamente por não termos personalidades formadas capazes de salvar o Brasil simplesmente por meio da ação governamental.

Se não as temos ainda, é que o mal vem de longe. É que cuidávamos, no passado, da educação brasileira tal como já a estamos entendendo agora, – no seu significado de formação adequada do homem para o seu ambiente e as suas funções sociais.

Ora, se no passado não tivemos essa precaução, que poderia frutificar no presente, – e daí nos resulta esta precária situação revolucionária – que poderemos esperar para o futuro, se persistirmos na calamidade de uma total indiferença pelo problema da educação?

Às vezes, chego a crer que não se liga à palavra o seu verdadeiro sentido. Que quando um fala em educação, querendo exprimir tudo o que ela realmente contém de interesse nacional e humano, e o que dela depende para o indivíduo, a pátria e o mundo, – os outros estão pensando, talvez, em códigos de civilidade e manuais de bom-tom...

Chego a crer em semelhante coisa, apesar de tão absurda. Porque, se a palavra está bem entendida, sem sombra de equívoco, se o governo se interessa pelo país – isto é, pelo povo – e, ao mesmo tempo, temos esta situação complicada, malgrado aparecerem todos os dias argumentos sensatos e bem-intencionados, frisando erros, inexperiências e extravagâncias, não se compreende a estabilidade de uma crise, por todos os motivos gravemente comprometedora para os que a mantêm.

Rio de Janeiro, *Diário de Notícias*, 9 de agosto de 1931

Diógenes e a sua lanterna

Agora que se acha iminente, conforme se espera, a substituição do sr. Francisco Campos, no Ministério da Educação, Diógenes precisa sair com a sua lanterna em busca do homem imprescindível que salve a obra mais útil e mais necessária ao Brasil.

Por mais que, às vezes, duvidemos do programa da Revolução, custa-nos crer que ela não possua realmente um. É mais fácil e agradável admitir que o traz escondido, talvez para melhor o defender dos assaltos que tão comumente se verificam por ocasião das mudanças de governo ou de regime, num país.

Revolucionários que quiseram transformar o Brasil para melhor, não podem ignorar que essa transformação, depois do golpe preliminar da Revolução, que apenas lhe preparou o terreno, tem de ser feita por meio de um processo educacional em que a escola única e leiga, oferecendo a todas as crianças e aos jovens um ambiente favorável ao seu desenvolvimento integral, esteja, ao mesmo tempo, formando os elementos de uma nacionalidade coesa, esclarecida e apta para o progresso.

Revolucionários que sabem disso devem também saber quais os elementos que até hoje têm contribuído, verdadeiramente, para o grande esforço necessário à realização desse objetivo.

Subentende-se que a república nova seja, pelo menos, um pouco diferente da antiga. Ninguém mais quer acreditar – para honra do governo revolucionário – que os cargos continuem a ser distribuídos como obséquios, pois não se pagam interesses individuais com serviços públicos, – perigosa barretada com chapéu alheio...

Nessas condições, há que fazer justiça ao mérito, apenas, atendendo aos interesses nacionais, e banindo todos os usurpadores, como alguns que apareceram nos primeiros dias da era nova, e outros que se lhe sucederam, abusando do mesmo processo.

Diógenes precisa sair com a sua lanterna. Precisa ter a coragem de ser exigente, porque não é um homem qualquer que vai procurar, mas o homem mais precioso para o Brasil, neste instante. Aquele a quem vai ser entregue a obra de maior responsabilidade para a própria Revolução.

Diógenes precisa não se fascinar também diante da pseudoimportância dos "medalhões". Precisa não se esquecer de que, quanto mais embevecido vier o candidato, com o seu passado brilhante, mais probabilidades tem de já não possuir nenhum futuro.

Ao mesmo tempo, Diógenes precisa não confundir mocidade autêntica com mocidade charlatã. Diógenes precisa pôr de lado os verborrágicos, os narcisos, os hipócritas que de nenhum modo podem ser identificados com a inquietude de hoje e com os quais qualquer preocupação redundaria em pura perda de tempo.

Diógenes precisa ser cauteloso e sábio.

A experiência já vivida deve servir-lhe de constante advertência.

Porque, se Diógenes errar agora, ninguém mais dirá que a culpa está nos homens. Todos afirmarão que é a luz da sua lanterna que anda desorientada. E isso é que não pode ser...

Rio de Janeiro, *Diário de Notícias*, 28 de agosto de 1931

Um problema da Revolução

A Revolução pretendeu, e decerto ainda pretende ser, fundamentalmente, uma renovação da nossa mentalidade com o consequente saneamento de certos erros e desvios a que vínhamos sendo conduzidos pela rotina e pelos interesses pessoais dos dirigentes.

Ora, se ela constata esses erros, e os deseja extirpar, precisa ter no seu programa, como ponto inicial de todas as transformações, o problema educacional, encarado dessa maneira ampla e indispensável que os novos tempos exigem, para que ele seja, de fato, eficiente.

Se a Revolução se esquecer de assegurar a renovação que sonhou por meio de uma obra que a perpetue nos espíritos, terá feito, apenas, um movimento transitório e superficial, com alguns mortos e feridos. Não terá, de modo algum, para o país, a influência renovadora, remoçadora, e purificadora que, no entanto, muito facilmente pode conseguir, se der a esse problema a devida e necessária atenção.

Entre os próprios revolucionários que conspiraram e agiram, todos os dias temos de verificar que havia, pelo menos alguns, a quem faltava o mais completamente possível esse "espírito revolucionário", que é, na verdade, o que a Revolução precisa definir e acentuar melhor.

E se esses, que tão renhidamente se empenharam na ação revolucionária, vieram a revelar mais tarde que não sabiam o que estavam fazendo, ou pelo menos que só o faziam para alcançarem, depois, certas vantagens, – que se vai esperar dos que até à última hora aguardaram prudentemente o desfecho dos acontecimentos, para no dia seguinte acordarem revolucionários, e dos que ainda aguardam a primeira oportunidade para se afirmarem segundo qualquer corrente de opinião que sobrevenha?

Admitindo, pois, que a Revolução quis e quer ser uma realidade nova do Brasil Novo, temos de admitir no seu programa a preocupação educacional em lugar de destaque.

Mas, a preocupação educacional não se reduz à criação de um ministério. O caso Francisco Campos veio mostrar que é melhor ter-se um Ministério a menos que certos ministros a mais...

Não é, portanto, o cargo, a coisa principal, mas, aquele que o vai desempenhar. Um Ministério da Educação, convenientemente dirigido, é o aparelho mais precioso com que se pode dotar o Brasil de agora, cheio de aspirações muito justas e de inquietudes muito sinceras.

É indispensável que o governo reflita profundamente sobre o homem a quem vai entregar posto de tão alta responsabilidade. Não basta ser uma pessoa portadora de um ou mais títulos notáveis. Isto não é uma vaga da Academia a preencher com um expoente... É preciso alguém que encarne, entre nós, a ansiedade que vai, pelo mundo inteiro, de reorganizar a vida humana sobre a terra, dando-lhe aquele sentido que a obra de séculos e gentes capciosas veio lentamente corroendo e obscurecendo.

Precisamos de um ministro da Educação. Não quer dizer: um doutor, nem um bacharel, nem um jurista, nem um general, nem um filólogo, nem um acadêmico, nem um inventor, nem um médico...

Precisamos, principalmente, de uma pessoa que não seja um "medalhão", que não seja um "homem de prestígio" (daquele prestígio que todos nós sabemos...) e que, acima de tudo, não tenha a mania de lutar contra o analfabetismo, mania que é a mais brilhante declaração do desconhecimento da causa educacional, na hora que atravessamos.

Onde estará o homem de que o Brasil precisa?

Oxalá o encontre o governo com acerto, porque não há nada mais desagradável do que andar perdendo tempo destruindo as soluções erradas, quando se pode agir construtivamente, cooperando com os elementos sinceros, capazes e de real valor.

Rio de Janeiro, *Diário de Notícias*, 2 de setembro de 1931

Ministério da Educação [I]

Este momento é dos mais difíceis sob todos os pontos de vista, mas, sob o ponto de vista educacional é talvez o nosso mais difícil momento. Sobrevindo quando nos preparávamos para uma atitude nítida em relação ao nosso máximo problema, que é o da formação do povo, operou-se um fenômeno de dissociação entre as forças mais prósperas, e não sabemos precisamente o fim reservado às mais belas iniciativas.

Antes da Revolução, contávamos com um certo número que, ou por sinceridade natural ou pela determinação das circunstâncias, se empenhava numa obra comum, a que não faltaram nem os elementos mesquinhos e interesseiros, para lhe darem total consagração. De súbito, quando se podia esperar que um movimento rápido apoiaria e facilitaria a obra já encetada, temos de reconhecer que o passado ameaça perder-se, porque daqueles que trabalhavam em conjunto a maior parte se colocou à distância, aguardando a definição das tendências gerais para não acontecer ficar comprometida...

Não há nada como um transe histórico para revelar a natureza dos homens e o fundo autêntico das suas inquietudes...

Hoje podemos dizer que conhecemos *de per si* cada um dos que participaram na tentativa educacional incrementada entre nós; e daqui por diante, qualquer que seja a situação que venham a ocupar, não nos enganaremos mais com as suas ideias e, principalmente, com o seu idealismo...

Resta-nos um pequeno grupo. Um pequeno grupo capaz de grandes coisas. Capaz até dessa coisa imensa que é não carecer de se tornar maior...

É a esse pequeno grupo que está entregue o momento mais difícil do Brasil. É esse pequeno grupo que tem de lutar com uma sempre animada constância até salvar as aquisições educacionais já realizadas entre nós, e que não representam o Brasil, apenas, mas, pela interdependência que une a humanidade, significam um elo a mais nessa cadeia que distende em torno do mundo a esperança de uma era mais compreensiva, depois dos grandes desastres de uma civilização que se esqueceu da vida e a traiu.

Neste grave momento do Brasil, não se pode permitir que um qualquer ambicioso venha tomar nas mãos a obra que representa o maior esforço, a maior audácia, a maior virtude de um pequeno número, para em seguida a sacrificar à sua vaidade, aos seus interesses pessoais, à sua cândida ignorância ou à sua criminosa esperteza.

Os que trabalharam terão o direito de protestar contra o esbulho do seu trabalho. Quando se fez a Revolução, não se anunciou ao povo que cada revolucionário receberia depois um cargo, em troca dos seus serviços... Todos acreditaram, tacitamente, que, em tempos que pretendiam ser diferentes, diferentes seriam os processos, e que a Revolução era um movimento de muitos para todos, e uma resolução dos brasileiros pelo Brasil.

Tudo isto é apenas para chamar a atenção para a pessoa a quem vai ser entregue o Ministério da Educação.

O erro inicial dos dois ministérios reunidos num só não deixa prever expectativas muito felizes. Os médicos e higienistas vão sempre acentuar a conveniência da sua adaptação ao ministério criado, – porque eles são muitíssimo mais abundantes que os educadores, e a medicina é coisa infelizmente muito mais acreditada, por enquanto, que a pedagogia...

Depois, se as nomeações são uma espécie de espada de ouro aos combatentes mais heroicos de outubro, não é provável que atinjam nenhum educador de mérito, porque os únicos que temos estavam totalmente empenhados na sua obra quando sobreveio a Revolução.

Aguardamos, pois, mais uma calamidade, mais um assalto ao nosso ministério principal, ou mais um descuido, – se porventura a tremenda experiência realizada com o sr. Francisco Campos não obrigar o governo a uma demorada reflexão antes de qualquer escolha.

O que desorienta é isto: se a Revolução criou este ministério é porque reconhecia a sua utilidade. Se lhe reconhecia essa utilidade é porque sabia da existência do problema educacional, no mundo e no Brasil. Se sabia dessa existência, estava a par dos elementos que possuía para o resolver. No entanto, começou escolhendo o sr. Francisco Campos, que, apesar de ter feito uma reforma, permitiu nela tantas provas de incompreensão da atualidade, ou de horror à responsabilidade de a compreender, que isso só bastaria para a contraindicação do seu nome.

E agora? Quem é que se vai pôr no ministério vazio? Qual é o pedagogo apressado que vai aparecer por aí reclamando pagamento de serviços? Quem é que se atreverá a tecer a sua própria desmoralização, depois do formidável exemplo com que este ministério fica inaugurado? Não são perguntas ao acaso.

Não. São perguntas que ficarão esperando a sua resposta, porque elas não representam a aspiração de alguns apenas, mas o destino de todo o país, e envolvem, além disso, a confiança ou a decepção do mundo inteiro.

Rio de Janeiro, *Diário de Notícias*, 5 de setembro de 1931

Ainda o Ministério [II]

Notícias do Paraná informam que na capital desse estado se está operando um movimento de professores, favorável à elevação do professor Lourenço Filho ao cargo de ministro da Educação.

Certamente, o professor Lourenço Filho é um dos nomes mais indicados para esse cargo, como o atestam os seus serviços de diretor de Ensino, em São Paulo, nestes onze meses de governo revolucionário, em que, na capital da República, a Diretoria de Instrução agoniza, conforme é ainda mais fácil verificar do que dizer.

Pode-se, até, afirmar que o maior benefício realizado pela Revolução, até agora, foi a indicação do professor Lourenço Filho para o cargo que vem ocupando. E, talvez, esse benefício passasse dos limites de um estado para os do país todo, se o atual diretor de Ensino se transformasse em ministro sem, no entanto, ser atingido por certos males que, às vezes, acompanham essas transformações...

Não é novidade nenhuma a sugestão dos professores paranaenses. Forçosamente, tem de ocorrer às pessoas bem-intencionadas o nome de um educador para preencher a pasta da Educação. É coisa tão evidente, que parece pueril estar a repeti-la todos os dias. E é certo que ninguém o faria, se não houvesse aqui, como em todas as partes do mundo, um grupo de criaturas que se convencionou entenderem de todas as coisas, para ficarem com muitos caminhos abertos às suas nem sempre nobres ambições. O horror a que uma criatura dessas fique investida, de uma hora para outra, de um cargo que exige qualidades especiais, e ao qual não se pode atender apenas com inteligência, nem cultura, nem boa vontade, é que determinou no professorado paranaense a atitude que assumiu.

Ora, essa atitude é digna de nota. Mais do que a própria indicação. Ela revela, no professorado que a tomou, uma consciência de responsabilidade que, infelizmente, ainda não está perfeitamente integrada na classe toda.

O gesto desse grupo do Paraná não tem nada de político. Nesse ruim sentido, que costuma tomar a palavra. É puramente educacional. Não se trata de um interesse particular em fazer ministro a fulano ou a sicrano, para conquistar estas ou aquelas vantagens. Não. Cuida-se é de entregar o mais sério problema do Brasil – que é o da educação – à pessoa que maior número de possibilidades reunir de o resolver honestamente. Honestamente, quer dizer, sem prejudicar o próprio problema.

Em artigo recente, aliás transcrito nesta "Página", um professor de Curitiba, tentando colaborar com a sua sugestão para esta crise do ministério acéfalo, destacava alguns nomes, criteriosamente escolhidos: Fernando de Azevedo, Lourenço Filho, Anísio Teixeira e, em último caso, João Simplício. Talvez haja mais alguns. Dois ou três mais. Nenhum, aqui no Rio. Terá o governo a inspiração de acertar?

Isso é o que nós todos queríamos. Nem sequer pelo governo, mas pelo Brasil, mas pelo mundo, – porque não seremos coisa nenhuma sobre a terra enquanto não formos grandes cooperadores no ritmo total das pátrias. E isso só o conseguiremos mediante a obra conveniente de educação.

O professorado paranaense lançando um candidato, neste momento de indecisões, vem provar que compreende o valor da causa que defende. Nem tem sido outra a nossa inquietude e a nossa preocupação.

O governo revolucionário tem de resolver a questão do ministério que a Revolução criou. Só a resolverá bem, se o entregar a alguém que entenda do assunto. Que entenda, realmente. Não que pareça entender, ou que diga entender, ou que tenha feito alguma conferência manhosa sobre ele, ou que tenha publicado algum artigozinho também manhoso, ou que haja fundado alguma associação da especialidade... Nada disso. Um ministério é uma coisa que deve ser séria. E isto é um Ministério da Educação!

Rio de Janeiro, *Diário de Notícias*, 8 de setembro de 1931

Coisas de educação...

A instabilidade das ideias e das preocupações neste começo de tempos novos tem permitido que a obra educacional permaneça num plano secundário a que só os consideráveis erros do ex-ministro Francisco Campos puderam emprestar uma certa curiosidade, na constante expectativa em que nos deixaram, de surpresas sempre mais escandalosas.

Não fosse isso, o problema educacional talvez permanecesse naquela sombra de ignorância e desinteresse de que, entre nós, o arrancara o dr. Fernando de Azevedo, realizando a sua reforma com uma audácia que nunca será exaustivo recordar.

Hoje, porém, acéfalos o Ministério da Educação e a Diretoria de Instrução, não se sabe como o governo revolucionário cuidará da questão mais importante que existe no Brasil, e à qual estão imediatamente ligados os interesses mais vitais da própria obra revolucionária.

O Ministério da Educação deixou na sombra a Diretoria de Instrução. Talvez porque o ex-ministro, menos habilidoso que o pseudodiretor, entrou a cometer atos e mais atos desvairados, que logo absorveram a atenção das mais despreocupadas criaturas. Ou talvez porque as questões que afetam o ensino secundário e o superior passam ainda por mais importantes que as que se prendem ao ensino primário...

No entanto, um momento de boa vontade faz logo ver que o problema da escola primária é o fundamental e urgente. E outro momento de boa vontade faz que sintamos a falta de tudo quanto se vinha fazendo de útil e acertado para o resolver. A Diretoria de Instrução é apenas um nome. Um nome sem sentido, – nem bom nem mau. Uma espécie de abstração.

Mas o problema escolar é concretíssimo, inequívoco, nítido, grave.

A Reforma Fernando de Azevedo, se não conseguiu ser anulada – porque até para anular é preciso saber o que, e como, – foi reduzida a uma bela iniciativa a ser prosseguida com outro administrador que a conheça, estude, consiga compreender e resolva pôr em prática.

O reformador do regime passado, que vai agora lançar em São Paulo um boletim educacional, traz à nossa memória a pergunta inquietante: Que foi feito do Boletim da Diretoria de Instrução? E, atrás dessa, despertam todas as outras ligadas a ela pela afinidade de intenções! Que é feito da Subdiretoria Técnica? E do Conselho de Educação? E...?

Essas perguntas não esperam resposta, porque sabem que os que a deveriam dar não o podem fazer, por motivos superiores às suas forças...

Efetivamente, tomar conta de um cargo é coisa relativamente fácil. Mas poder desempenhá-lo é outra coisa, muitíssimo diferente...

E, se as pessoas fossem sempre tão inteligentes como se deseja, para a compreensão de certos assuntos, diríamos aqui, mais uma vez, que a experiência há de ter demonstrado a muitas "autoridades" a razão primordial da Escola Nova, que forma homens aptos para os vários misteres da vida, que os seleciona segundo as suas disposições individuais, permitindo-lhes assim colaborar na obra imensa da civilização humana sem prejudicar a ninguém com a sua incompetência, – e com a sua necessidade de garantir o pão para a boca que, afinal de contas, é uma razão quase sempre todo-poderosa...

Rio de Janeiro, *Diário de Notícias*, 12 de setembro de 1931

O caso do Ministério da Educação [III]

A Associação Brasileira de Educação acaba de dirigir uma pequena moção ao chefe do governo, sugerindo-lhe a efetivação do dr. Belisário Pena à frente do ministério que interinamente está dirigindo.

É uma sugestão como outra qualquer, sem a importância da dos professores e pais de Curitiba, que há mais tempo estão defendendo a candidatura do professor Lourenço Filho, cujos assinalados serviços na Diretoria de Ensino de São Paulo deviam ser encarados com particular atenção, antes de se nomear indiferente ou interesseiramente o ainda incógnito substituto do sr. Francisco Campos.

A Associação Brasileira de Educação não pode pretender ser representante da mais numerosa e significativa classe do magistério, que é, sem dúvida nenhuma, a dos professores primários. É, até, muito divulgado que, nessa associação, o magistério primário sempre foi considerado de secundária importância, enquanto às questões universitárias se afetava dar uma especial atenção, cujos efeitos reais desconhecemos.

Ora, se a Associação Brasileira de Educação se resolveu a opinar na questão do preenchimento do Ministério da Educação, e se ela crê, efetivamente, entender do assunto em debate, estranhamos que, antes de sugerir um nome, fosse ele qual fosse, não sugerisse a divisão do ministério em duas pastas, a da Saúde Pública e a da Educação, visto que a dificuldade preliminar, na escolha do ministro, se encontra justamente nessa fusão de duas especialidades claramente definidas, embora com os pontos de contato que todos os problemas de um país mantêm, naturalmente, com o problema básico da educação. Nesse caso, teria a ABE muita razão para sugerir o nome do dr. Belisário Pena para a pasta da Saúde Pública, onde são reconhecidos os seus méritos, e onde tudo se pode esperar das suas boas intenções.

O dr. Pedro Ernesto, por exemplo, agiu com admirável bom senso quando, ao ser lembrado o seu nome para ministro, declarou que poderia vir a aceitar, – se o ministério fosse dividido. O ilustre cirurgião, que não pode desconhecer o seu valor como médico, revelou, com essas palavras, que não desconhecia também a responsabilidade com que um médico, por maior que seja, tem de arcar, abordando o problema educacional que, afinal de contas, por mais que muitos médicos o desejem, neste momento, – não é um capítulo de medicina...

A moção da ABE não tem, na verdade, grande importância. É uma candidatura lançada por alguns nomes. Como há várias associações de professores, aqui mesmo no Distrito Federal, seria interessante, até, que todas fizessem o mesmo. Assim, o chefe do governo receberia moções análogas da Liga de Professores, da Associação de Professores Primários, da Federação Nacional das Sociedades de Educação, da Associação de Ensino Profissional etc. Poderia receber, também, a moção dos estudantes que, salvo o perigo de serem manobrados por terceiros, seria a mais interessante, a mais oportuna e mais valiosa de todas.

Isto quanto ao Distrito Federal. Mas o Brasil não é só esse pedacinho... E o Ministério da Educação vai controlar o Brasil todo. Se o caso se resolve, pois, por meio de moções, convém que o Brasil todo se agite e cada estado mande o seu candidato.

O dr. Belisário Pena, que na direção da Saúde Pública é uma autoridade acatada, fica, neste momento, pela moção dirigida ao governo, na possibilidade de uma aventura que lhe pode ser funesta.

Porque, além de tudo, a Associação Brasileira de Educação – e isso é que é grave – compromete grandemente o seu nome, uma vez que o candidato a ministro não é senão o próprio presidente dessa associação... Surpresa de amigos, possivelmente... Mas essas surpresas são terríveis, em questões de tamanha responsabilidade técnica, e é impossível que o dr. Belisário Pena veja sem constrangimento a delicada situação que surge para o seu nome, tão louvado unanimemente na pasta de sua competência.

Rio de Janeiro, *Diário de Notícias*, 16 de setembro de 1931

O momento educacional

Como dizem que água mole em pedra dura acaba produzindo efeito, vamos tratar mais uma vez deste momento educacional que atravessamos e a que pouquíssimas pessoas parecem dar a devida atenção, decerto porque não chegaram a perceber a sua real importância.

O caso do Ministério da Educação continua sem solução, como se o governo, malgrado tantas sugestões, não encontrasse ainda candidato digno de confiança para posto de tão alta responsabilidade.

Encoberto pela ruidosa aventura do sr. Francisco Campos, mas nem por isso menos grave, o ensino municipal se vai decompondo, dia a dia, na sepultura que o atiraram os acasos de 24 de outubro.

Se aqui no Distrito Federal as coisas se passam assim, não será de estranhar que pelo resto do país estejam acontecendo coisas igualmente perigosas para as questões educacionais, apesar de algum telegrama confortador que de vez em quando nos vem trazer uma tímida esperança.

Ora, positivamente, nós não podemos continuar a deixar assim o mais sério dos problemas nacionais abandonado em meio à agitação de interesses políticos, de que a nossa tão bem-intencionada Revolução tanto se está custando, infelizmente, a libertar.

Faz-se absolutamente necessário que o Governo Provisório, num gesto de definitiva coragem, saiba sobrepor a todas as pretensões, a todos os interesses, a todas as investidas, que por acaso receba, a firme vontade de resolver com acerto o problema de maior consequência para a vida nacional.

Não estamos mais no tempo de combates ao analfabetismo ou outras pequenas campanhas semelhantes que, significando, embora, muitas vezes, um desejo intensíssimo de colaboração no progresso brasileiro, não deixam de ser, finalmente, senão tentativas fragmentadas, imperfeitas e precárias, que não trazem remédio à nossa angústia de povo que quer atingir a sua normal formação.

O problema educacional abrange em si uma quantidade de múltiplos problemas suficiente para o tornarem o mais complexo, o mais difícil, o mais imperioso e o de maior responsabilidade.

Seria, pois, para qualquer governo uma verdadeira glória lançar-se ao seu estudo, esclarecida e devotadamente.

Tratando-se, porém, de um governo como este, oriundo de uma ruptura das ideias que se querem fazer futuro com as que se obstinam em ser passado, tem-se razão de crer no seu compromisso tácito com o único assunto que realmente pode converter o passado em futuro. E esse assunto é, ainda uma vez, a educação.

Que a ansiedade existe, por essa transformação a realizar, prova-o, pois, da maneira mais evidente, a própria Revolução. Prova-o, ainda, essa inquietude que anda no ar, que aproxima pais e professores, despertados para o sentido da sua responsabilidade pela atuação dos novos ideais do mundo inteiro; e, se quiséssemos ter mais uma prova bem nítida e fecunda, – por esse movimento da mocidade acadêmica, empenhada em protestos e greves, na defesa das suas aspirações ainda imperfeitamente compreendidas e acatadas, e nas quais palpita a mais autêntica emoção do nosso impulso veemente para uma vida mais verdadeira e melhor.

Rio de Janeiro, *Diário de Notícias*, 19 de setembro de 1931

Um momento único

Estamos como se a Revolução tivesse começado agora. Sensação de novo. Sensação de início. Vontade de crer que os tempos efetivamente mudaram, e os velhos erros não se repetirão. Vontade de crer que se vai pôr de lado a política dos homens sem emprego que se acostumaram à aventura dos governos, com instinto de corsários e a mais completa ausência de qualquer noção de responsabilidade. Vontade de crer que, depois de um ano de duras experiências, a Revolução começa a tomar o seu verdadeiro sentido, a fazer-se entender pelos que mais alheados andavam à sua finalidade, e a desviar para os seus competentes destinos aqueles que só por inconfessáveis interesses se tinham conseguido intrometer em seu programa.

Não sei se já chegou esse dia. Mas, um dia, Revolução tem de significar educação. Educação. Preparo do homem para a humana função de viver. Visão total da vida, a que nenhum problema pode ser indiferente, desconhecido ou estranho. Sentido de totalidade. Realização da criatura desde as suas inquietudes mais concretas às mais abstratas, atendendo a todas com a certeza sereníssima de que em torno da vida nenhum fator existe que não seja venerável.

Educação. Compreensão completa da humanidade, nas suas relações de homem a homem e de pátria a pátria. Espírito de fraternidade que permite um convívio sem limites, mas, por isso mesmo, assenta em bases seguras de capacidade e de trabalho.

Educação. Milagre da liberdade que se faz responsável. Aspiração de se bastar e de servir. Força consciente adquirida pela formação de uma estrutura sólida e harmoniosa apta a suportar e a dirigir o pequeno mundo de cada indivíduo dentro do imenso ambiente universal.

Educação. Reaprendizagem da vida, deformada na rotina dos séculos e na teoria arbitrária dos interesses de cada doutrina. Volta deliberada e sincera à observação, à interpretação, à realização. Conhecimento límpido dos fenômenos, para sua justa utilização. Ruptura com todas as imposições, todas as violências, todas as opressões, todos os automatismos. Reumanização do homem. Apreciação dos valores fora dos moldes comuns da oportunidade transitória e das ambições sem idealismo.

Depois, todo o infinito e complexo mundo de consequências derivadas dessa visão preliminar. Todos os detalhes que correspondem a cada seção desse imenso plano. Todas as especialidades que, sem se desinteressarem pelo objetivo supremo, têm, forçosamente, de se destacar em rumos próprios, atendendo à necessidade da ideia que se torna fato concreto.

A lamentável sorte que teve o nosso problema educacional, com a vitória da Revolução, acaba de encontrar neste instante uma trégua que a pode salvar.

Temos o Ministério da Educação vazio. Quem provisoriamente o atende não será capaz de se resolver a continuar a desgraça em que o mergulhara o seu antecessor.

Temos, por outro lado, vazia a Diretoria de Instrução. Vazia de ideias e de pessoas. A Subdiretoria Técnica, de que nunca ninguém ouviu falar nestes onze meses, tão solidária esteve sempre com as iniciativas nulas da Diretoria Geral, é caso para resolver em alguns instantes, fácil como a remoção de uma folha seca – deixemos gastar-se uma imagem poética...

Ficamos com o nosso aparelhamento educacional novinho em folha.

Como a Reforma Fernando de Azevedo resistiu valentemente a qualquer adulteração que por acaso pudesse ser engendrada como "ideia" pelos que se apoderaram dos cargos da Instrução nos primeiros dias confusos do atual governo, – não temos, felizmente, a registrar coisas mais graves. Tudo estaria apenas com um ano de atraso, se o sr. Francisco Campos (ou alguém, para o comprometer) não se tivesse lembrado de inventar esse decreto sobre o ensino religioso que a Revolução ainda terá de explicar devidamente, no seu plano de renovação brasileira, pois, se veio para ser uma libertação, não pode ser, ao mesmo tempo, uma escravização, – pelo menos enquanto os significados de categorias contrárias se repelirem mutuamente no cérebro humano...

De que precisamos nós agora? De muito pouco. De um ministro da Educação. De um diretor de Instrução e de um subdiretor técnico. Três pessoas para a salvação da obra revolucionária. Não digo que seja fácil. Digo que é pouco porque são três só. Mas sei que terão de valer por três mil ou mais. E só com esse valor é que podem servir. Porque, se os três cargos vagos forem oferecidos como três empregos a três políticos, três católicos ou três doutores desocupados, tudo o que dissemos no começo fica virado pelo avesso. É como se a Revolução nunca tivesse sido feita. É como se tivéssemos andado para trás e fechado os olhos. Como se nos tivéssemos resolvido transformar em cadáver, tendo de aceitar, naturalmente, as prerrogativas inerentes a essa condição.

Rio de Janeiro, *Diário de Notícias*, 24 de setembro de 1931

A gravidade de ser interventor

A gravidade de ser interventor – pelo menos aqui no Distrito Federal – está na revelação a que esse cargo obriga da visão educacional (e revolucionária) do seu detentor.

O Distrito Federal encontra-se, na verdade, em condições muito particulares, porque, da sua Diretoria de Instrução, no regime passado, surgiu uma reforma de ensino, que teve ocasião de oferecer ao país, em pleno estado oligárquico, em plena legalidade, a mais oportuna senda revolucionária que um povo pode desejar: uma consciente, moderna, ampla noção da maneira por que se formam as nacionalidades que vão colaborar na obra de conjunto do mundo, através o compreensivo e atento estudo das gerações, e o seu devotado encaminhamento, numa livre, sadia, bem-intencionada ação educativa.

A Revolução nada nos trouxe de mais claro que esse conceito já propagado, aliás, até o íntimo da alma do povo mediante a atividade dos professores que procuraram entender e cumprir, em toda a transcendência da sua intenção, a reforma cuja execução lhes era confiada e que assim de repente os fazia também passar, de uma classe oprimida entre rotinas e esquecimentos a uma corporação tão responsável pelo destino da pátria e do mundo, que ficava sendo, na verdade, a sua mais legítima expressão.

A gravidade de ser interventor provém disso. A Reforma Fernando de Azevedo – que, naturalmente, pela sua própria importância não pode pretender ser acessível a todos... – não é uma tentativazinha qualquer, que qualquer um pudesse ter feito e qualquer um possa imaginar-se capaz de alterar, esquecer ou substituir. Nem sequer lhe falta a consagração do estrangeiro: como último argumento para os que se orientam pelos ponteiros da Europa. E, quando esse estrangeiro é Ferrière, e quando esse estrangeiro a compara à reforma chilena, que (embora muita gente decerto não o saiba) foi uma verdadeira arrancada de entusiasmo e de compreensão para novos tempos, – nada mais é preciso acrescentar em defesa da grande obra nacional.

Acontece agora que essa reforma, que concretiza o nosso futuro de povo, fica subordinada ao tato, ao conhecimento, à inteligência e à honestidade do interventor. E que este interventor atual prometeu administrar pelo menos com honestidade...

Estamos na seguinte situação: ou o dr. Pedro Ernesto conhece a obra que tem nas mãos, ou não a conhece. Se não a conhece, não se pode considerar revolucionário. Passará, então, para a falange dos rebeldes, dos revoltados, dos indignados – que não toleravam os governos passados, mas também não tinham nenhuma ideia do que deve ser um governo novo: porque um governo novo assenta no povo e na sua educação.

Nós não queremos duvidar das íntimas disposições do dr. Pedro Ernesto, que, há dez anos passados, tão clamorosamente discutia já a decadência política do país. Somos, assim, obrigados a crer, também, no seu conhecimento completo, perfeito, integral, senão dos detalhes da obra do dr. Fernando de Azevedo – uma vez que isso já seria uma questão propriamente técnica – pelo menos da sua vista de conjunto, e da percepção essencial do seu conteúdo ideológico. Nessas condições – indispensáveis, aliás, para ser interventor – o ilustre cirurgião não quererá comprometer o seu nome e seu cargo resolvendo impensadamente a anômala situação da Diretoria Geral de Instrução, comprometendo, ao mesmo tempo, e de maneira irremediável, o espírito revolucionário, que tanto anda sendo satirizado, mas em que nós ainda acreditamos, embora não afirmando que esteja na maior parte das pessoas que o supõem possuir...

Porque imaginemos o seguinte, que não é difícil e, até há dias, me ocorreu num sonho confuso, que aqui publiquei para os que se interessam por fenômenos oníricos: imaginemos que o dr. Pedro Ernesto encontre na Prefeitura uma lista, não digo já com quatrocentos, mas com cinquenta ou sessenta nomes de candidatos à Diretoria de Instrução. Imaginemos que, nessa lista, haja uma dúzia, pelo menos, de médicos seus colegas (excelentes médicos, sem dúvida, mas negações e incapacidades completas para o cargo desejado); uma dúzia de amigos, possuidores de ótimo coração e de excelentes qualidades morais, mas igualmente incapazes para posto de tanta responsabilidade; e três dúzias de tenentes, belicosos, disciplinados, magníficos elementos em qualquer transe militar, mas e – justamente por isso – totalmente alheios à obra de educação tal como se afirma na reforma que possuímos e em todas as reformas do mundo atual – e que começa a ser, precisamente, antimilitarista!

Como é que o dr. Pedro Ernesto resolverá a situação? Como é que ele procurará acertar, pondo à margem, criteriosamente, todos esses pretendentes, adoráveis como amigos, colegas e correligionários – mas destituídos da orientação necessária ao prosseguimento da obra já empreendida e tida como admirável até na Europa! Na Europa, senhores, onde há nomes como Otto Glöckel, Kerschensteiner, Lunatcharski, e inúmeros outros...

O dr. Pedro Ernesto é um homem de coração boníssimo. Tememos esse coração. Precisamos de um interventor que não seja uma fera, certamente – mas que oponha à sua bondade, para robustecê-la, uma vontade e um senso espiritual capazes de levar a todos os sacrifícios individuais pela voluntária inquietude de atender ao bem coletivo.

Agora que o dr. Teodoro Ramos declinou do convite recebido para a Diretoria de Instrução, ansiosamente nos voltamos para a figura do interventor, com um desejo sinceríssimo de o ver escapar às perigosas sugestões do ambiente.

O passo que vai dar é decisivo. Ceder a qualquer injunção – venha de quem vier – e deitar a perder a obra da educação nacional será uma declaração tremenda não só contra si mesmo, como contra a causa revolucionária. Porque sempre os revolucionários condenaram, no antigo regime, a falta de escrúpulo dos apadrinhados e a debilidade dos que os apadrinhavam, combateram sempre os interesses pessoais predominantes, e o sacrifício de muitos para vantagem de alguns.

O interventor precisa refletir sobre as palavras do ministro José Américo, antes de tomar a sua mais comprometedora atitude. Já é, na verdade, tempo de esquecerem, os revolucionários, o que os vencidos fizeram, para se perguntarem o que estão fazendo, e *o que* e *como* vão fazer...

Rio de Janeiro, *Diário de Notícias*, 7 de outubro de 1931

Educar!

A repercussão que vai tendo, para além dos limites do Distrito Federal, a escolha do dr. Anísio Teixeira, para o cargo de diretor-geral de Instrução, revela como o problema educacional está palpitando como um dos maiores interesses nacionais deste momento, e o maior mesmo para os que lhe dão todo o seu justo valor.

O grande sonho de um país mais progressivo, mais próspero, mais de acordo, na sua realidade expressional, com a sua decantada grandeza geográfica não passará de um sonho sem consistência e eficácia enquanto não for considerada como ponto fundamental para um governo a grande questão da educação popular.

É desse desenvolvimento das faculdades e dos poderes humanos, dessa facilitação da função essencial de viver, com toda a sua completa significação, a todas as unidades da pátria; dessa difusão de meios e de recursos para que todos possam dar de si o máximo, com a alegria da liberdade e da solidariedade, que dependem todos os outros detalhes da nossa organização nacional, com as suas consequências.

Os teóricos, que vivem pregando esperanças em milagres, não devem ser levados a sério, quando tudo nos está fazendo ver como a carência da visão educacional tem retardado lamentavelmente o nosso destino.

Mas essa visão educacional precisa ser, de fato, uma *visão educacional*. Ainda existe muita gente que, com permissão da censura, vive sonhando com turmas de paladinos muitíssimo medievais, por sinal, que saiam pelo Brasil afora fazendo discursos e alfabetizando – com eles, naturalmente, – este ingênuo, este bonito, este maravilhoso Brasil...

De vez em quando explodem pelas radiolas verbos flamejantes resolvidos a *extirpar*, a *extinguir*, – ou, nos casos de grande modéstia, – a *combater* a *praga*, o *flagelo*, o *anátema* do analfabetismo. Fechando-se os olhos, fica-se vendo cada um desses Hércules, de cajado na mão e pele ao ombro, penetrando pelos sertões adentro, disposto a encontrar a terrível Hidra... Mas não se sabe de nenhum que se tenha realmente atrevido a tão extraordinário empreendimento... A Hidra continua com as suas sete cabeças, passando admiravelmente bem de saúde...

E, admitindo que esses heróis a aniquilassem, que faria o Brasil com quarenta milhões de doutores, se os milharezinhos que lhe brotaram pelo litoral já lhe fizeram todo esse mal que estamos vendo?

Porque foram os doutores que resolveram, que decidiram, que mandaram no Brasil, todo este tempo... Não me consta que tivesse andado pelo Senado, pela Câmara, pelo governo nenhum bom tabaréu iletrado, com o seu cigarrilho gostoso, de palha de milho, e a sua violinha de arame para os arrasta-pés... Não, senhores. Os bacharéis é que fizeram essa trapalhada que os revolucionários dizem estar consertando.

Se a querem consertar, mesmo, têm de combater os bacharéis, compreendendo, definitivamente, que educar não é isso de andar distribuindo livros a torto e a direito, nem, muito menos, andar vendendo santinhos para curar doenças e encaminhar a alma para o céu... Educar é preparar para a vida completa, para que o homem não tenha medo da vida, e saiba agir de acordo com ela. É dar ao homem, com uma consciência de si mesmo que as civilizações e os cativeiros há muito tempo lhe andam todos os dias roubando, uma capacidade de ser útil a si mesmo e de servir livremente aos demais, convertendo o trabalho num interesse superior de criação, que dispõe cada um no justo lugar da sua eficiência, no mundo.

Não é, pois, questão de alfabeto nem de catecismo.

O Governo Provisório deve saber disso, ele que existe como resultado de uma rebelião do "espírito revolucionário" contra o outro espírito que animou as aguerridas hostes da legalidade, nos famosos dias do ano passado, em que muita gente importante seguia com o dedo no mapa a marcha dos acontecimentos, para saber por qual das duas colunas se devia definir, no momento adequado...

O Governo Provisório deve compreender que a Revolução seria muito pouco se fosse só aquilo que se passou entre o terceiro e o vigésimo dia de outubro... Agora é que a Revolução tem de começar, realmente, como transformação de mentalidade, como renovação de ideias, como transfiguração social.

O período agudo da Revolução marcou apenas a ruptura entre dois pontos de vista que não se podiam mais harmonizar. É mister que este que saiu vitorioso da luta consigo traga uma energia capaz de produzir a necessária modificação de sentidos e de atitudes que justifiquem a luta empreendida e legitimem a vitória que, só como está, não tem ainda a significação que dela se espera.

Tudo isso depende do problema educacional e da maneira por que vai ser encarado e resolvido.

O professor Lourenço Filho, em São Paulo, e o dr. Anísio Teixeira, aqui, serão duas forças admiráveis para a Revolução se cobrir de prestígio. É necessário que o Brasil todo se prepare, Estado por Estado, para um equilíbrio educacional que, mesmo no velho regime, estava sendo tentado, com Fernando de Azevedo e Atílio Vivácqua, por exemplo, cujos esforços, nesse sentido, não podem ser diminuídos nem esquecidos.

O Governo Provisório deve, sobretudo, prestar atenção para que o problema educacional fique, mais do que qualquer outro, fora do alcance dos interesseiros, dos ambiciosos sem idealismo, e dos desempregados que prestaram algum serviço à causa revolucionária com o fito exclusivo na recompensa futura...

Todos esperam, aliás, que essa velha manobra, tão condenada pelos revolucionários, não seja sequer tentada, em caso algum, e muito menos atendida. Mas, se por desgraça, houvesse alguma exceção, e se essa fosse recair, justamente, no problema educacional, – que esperariam os revolucionários que o povo em massa ficasse pensando e sentindo acerca da honestidade da Revolução?

Rio de Janeiro, *Diário de Notícias*, 13 de outubro de 1931

Tempos novos

O dr. Pedro Ernesto acaba de nomear para diretor-geral de Instrução o dr. Anísio Teixeira. Nessa pequena informação reside um mundo de coisas importantíssimas. E não se sabe, na verdade, a quem se deva felicitar: se ao interventor, que de maneira tão feliz inaugura o seu governo; se ao dr. Anísio Teixeira, que recebe um cargo a que pode dar com a máxima eficiência todo o brilho da sua atividade e da sua inteligência; se ao dr. Fernando de Azevedo, que, com esta escolha, vê assegurada a obra que iniciou no Distrito Federal – e à qual, como todos os criadores, não pode, decerto, ser indiferente – ou se ao povo, afinal, que, desta vez, pode esperar um interesse valioso pela questão educacional, de que tão diretamente depende o seu destino.

A acertadíssima escolha do dr. Pedro Ernesto cria-lhe um ambiente de tão grande prestígio que todos os seus esforços devem consistir agora em não tomar uma atitude que dificulte a ação livre e responsável do diretor que escolheu para a Instrução Municipal.

O dr. Anísio Teixeira reúne em si qualidades que o tornam digno de inteira confiança, tanto quanto de respeito e admiração.

Sua capacidade técnica dá-lhe direito a uma autonomia consciente e fecunda, da qual resultarão os benefícios educacionais de que o povo já se vinha desiludindo em todo este ano de governo revolucionário, completamente perdido, nesse particular.

Suas qualidades de visão, de conhecimento do assunto e do ambiente em que vai operar; sua compreensão da obra já iniciada pelo dr. Fernando de Azevedo, a qual, sob a sua orientação poderá atingir os mais altos níveis – tudo isso o coloca numa situação de destaque singular, digno de um apoio incondicional por parte da pessoa que com admirável inspiração o investiu do merecido cargo.

Ainda há pouco, em entrevista concedida ao nosso correspondente em São Paulo, o dr. Fernando de Azevedo lembrava dois nomes capazes de orientar sua reforma sem a desvirtuarem. Esses nomes eram, precisamente, Anísio Teixeira e Frota Pessoa.

Ora, ninguém podia ser mais indicado para opinar na escolha de um diretor de Instrução para o Distrito Federal que aquele que ao Distrito Federal ficou para sempre ligado pela obra magnífica da sua Reforma de Ensino.

E é curioso que esses dois nomes sejam, neste momento, os que se encontram à frente da Instrução Municipal, o que contribui para que todas as esperanças cresçam, anunciando novos tempos, depois de tanta luta e de tanta inquietude por parte dos que vêm defendendo os interesses do povo no seu mais natural e indefeso representante: a criança.

Com esses dois nomes, à frente dos novos tempos, o Brasil tem o direito de crer na Revolução. Não porque o Brasil seja o Distrito Federal, mas porque, se nenhuma influência exterior vier perturbar a nova ordem de coisas, deste pequeno território, pode partir um movimento educacional tão importante que o Brasil todo venha a sentir os seus efeitos e a tomar, definitivamente, o rumo de que está dependendo o seu ainda misterioso destino.

Rio de Janeiro, *Diário de Notícias*, 8 de outubro de 1931

A nomeação do dr. Anísio Teixeira

O sr. Raul Gomes, professor paranaense, e uma das raras forças que enfrentam corajosamente a alarmante situação educacional do Brasil, acaba de publicar um artigo em *O Dia*, de Curitiba, em que diz coisas assim:

> Amamos desabusadamente a palavra. Utilizando-a, pregamos a urgência das reformas. Mas temos o terror da realidade.
> De maneira que sabemos a necessidade de fazer. Mas receamos o momento da ação. A possibilidade desta nos estarrece. Faz-nos desertar a primeira dificuldade.
> Nada há mais ilustrativo dessa tese que o problema educacional.
> Poucos assuntos se prestaram, desde os mais remotos tempos da vida nacional, a divagações – como esse.
> Dele se alimentaram, muitas cerebrações.
> E, no momento de praticar, recuavam, esqueciam ou fracassavam.
> Está aí a Revolução. No período preparatório e da propaganda, a palavra educação se gastou nos lábios dos apóstolos.
> Veio o movimento de outubro. Passou um ano. E o balanço das realizações educativas é um atestado tremendo da esterilidade dos estadistas revolucionários!
> Basta dizer que, de quantos programas surgiram desde 5 de outubro de 1930, só o recente, da Legião Paulista, pôs a questão no terreno objetivo.

E mais adiante:

> Os mais, ainda excetuando São Paulo, onde Lourenço Filho impele o carro para a frente, só ficaram em palavrório, e entendem que educação e desanalfabetização são uma e a mesma coisa.
> Por outras palavras, a instrução no Brasil, de outubro para cá, parou, regrediu ou se desmantelou.
> Haverá inépcia ou má-fé nessa atitude?

Com a notícia da escolha do dr. Anísio Teixeira para diretor-geral de Instrução no Distrito Federal, o professor Raul Gomes escreveu, também em *O Dia*, um notável artigo que ontem reproduzimos. Esse artigo, porém, não apaga a pergunta inquietante do anterior, que contém toda a incerteza, toda a desconfiança, todo o interesse do povo, em frente da sua maior esperança, deposta nas mãos do governo e guardando em si o seu próprio destino.

Aqui mesmo entre nós se verifica essa coisa esquisita: depois de ter acertado plenamente na escolha de um dos raros homens capazes de trabalhar pela educação do Brasil, o dr. Pedro Ernesto retarda a sua nomeação, como se alguma estranha manobra estivesse agindo, indecorosamente, para tolher o administrador na sua primeira iniciativa realmente feliz.

Completamente acéfala, exceto na Subdiretoria Administrativa, impossibilitada de realizar portanto qualquer coisa proveitosa, – tal qual no ano inteiro decorrido na situação em que a Revolução a pôs, – a Instrução Municipal exige uma providência enérgica, de acordo com a ideologia renovadora que os revolucionários não podem contrariar, sob pena de contradição.

O dr. Pedro Ernesto tem-se caracterizado neste princípio de governo por uma grande prudência. Levou uma porção de dias para escolher o diretor-geral. Valeu a pena, porque acertou. Resta agora que a sua nomeação venha sem demora maior, e que o preenchimento da Subdiretoria Técnica se faça com igual felicidade, para se normalizar, finalmente, depois de um ano de abandono, o mais importante dos departamentos municipais.

P.S. – Já estava escrito o "Comentário" acima quando soubemos ter sido assinada a nomeação do dr. Anísio Teixeira, ficando assim preenchido o cargo de diretor de Instrução da maneira mais auspiciosa possível para o povo, e mais prestigiosa para o interventor do Distrito Federal.

Rio de Janeiro, *Diário de Notícias*, 14 de outubro de 1931

Para honra da Revolução!

A nomeação do dr. Anísio Teixeira para o cargo de diretor-geral de Instrução Pública é fato que merece especial registro, pelo significado que dá à atitude do governo revolucionário.

O dr. Pedro Ernesto iniciou a sua administração com uma serenidade de gestos que bem revela no interventor do Distrito Federal aquele ilustre cirurgião, que, no ambiente da sua casa de saúde, é uma presença de esperança, conforto e confiança para todos os que dependem da sua palavra ou da sua ação.

Desde o instante em que foi escolhido o dr. Anísio Teixeira, até este, da sua nomeação, os que acompanharam estes dias de incerteza com olhos claros e justiceiros não podem deixar de louvar a honestidade e a compreensão com que o dr. Pedro Ernesto encarou e resolveu o problema da Instrução Municipal, que só com esta nomeação poderia ficar perfeitamente normalizado.

É pois, sob os mais admiráveis auspícios que o dr. Pedro Ernesto principia a sua vida de administrador, à qual o povo tem o direito de exigir uma sinceridade, uma elevação de vistas, e uma pureza de resoluções que prestigiem cada vez mais o espírito revolucionário de que o interventor é um dos mais antigos, convencidos e respeitáveis representantes.

O mal do Brasil começará a se fazer menor quando o problema da educação passar a ser entendido na sua plenitude. Quando começar a ser levado a sério. Quando deixar de ser visto como uma fonte de cargos, para uma cópia de candidatos, preenchidos ao arbítrio de um capricho, de uma conveniência pessoal, ou visando um fim político.

Nenhum interesse nacional devia ser jamais utilizado como pretexto para manobras alheias a esse próprio interesse. Mas o ensino, por se referir à parte mais indefesa da população; por ser de efeitos imprevisíveis e longínquos; por dever ser função altruística, acima de tudo, e função consciente de uma responsabilidade que não pode comprometer a pátria, e o próprio mundo, – tomaria uma feição verdadeiramente covarde se nele se admitissem intromissões discordantes da sua finalidade e dos seus meios, tão claramente definidos já na obra imortal dos grandes educadores.

O dr. Anísio Teixeira assume o cargo de diretor de Instrução em condições excepcionalmente honrosas para si e para o ensino. Há em torno da sua figura uma atmosfera de respeito decorrente da sua capacidade, que assegura ao Distrito Federal uma nova era, em matéria educacional.

E, mais do que o Distrito Federal, recebe com esta nomeação um alento de confiança no seu destino a Revolução de outubro, que com a visão profunda, íntegra e séria da causa educacional começa a afirmar, de maneira indiscutível, a clareza dos seus propósitos e a energia de os realizar com elevação, nobreza e honradez.

Rio de Janeiro, *Diário de Notícias*, 15 de outubro de 1931

Justiça

Quem teve, ontem, ocasião de assistir à cerimônia da posse do novo diretor-geral de Instrução não pode deixar de ter pensado respeitosamente – mesmo contra a vontade, em alguns casos... – na passagem do dr. Fernando de Azevedo por esse mesmo cargo, assinalada por um traço imortal, que qualquer dos seus sucessores terá sempre de louvar, desde que seja consciente, responsável e honesto.

A reforma, que sofreu e ainda sofre o ataque ridiculamente ignorante de alguns que a combatem sem a terem sequer chegado a entender, encontrou na palavra serena e modesta do novo diretor um elogio importantíssimo, porque vem de uma das raríssimas pessoas capazes de poder falar sobre ela com autoridade.

Como prevíamos, dada a compreensão e a cultura especializada do dr. Anísio Teixeira, essa reforma que permaneceu improdutiva um ano inteiro – embora também a inteligência do dr. Adolfo Bergamini não lhe permitisse deformações – será acordada entusiasticamente da sua inação para realizar o seu conteúdo notabilíssimo, que coloca o Brasil na vanguarda dos países educacionalmente civilizados.

O pequeno discurso, límpido e sóbrio, que o dr. Anísio Teixeira pronunciou com essa clareza e simplicidade dos que falam de muito acima das apreensões e das "honras dos cargos", na sua concisão e na sua singeleza derrubou toda a verborragia alucinada que as radiolas costumam despejar nos ouvidos infelizes das pessoas desprevenidas em desligar a tempo o veículo inocente da loucura reinante...

Depois dessa espécie de profissão de fé com que o dr. Anísio Teixeira recebeu das mãos honradas e justas do dr. Pedro Ernesto a investidura nobremente merecida pelo seu valor, ficam recolhidas à sombra da sua inveja, da sua incapacidade, do seu despeito, todas as palavras pronunciadas e escritas com o intuito mesquinho de combater uma obra e um reformador, por simples, evidentes, conhecidos motivos de interesse pessoal e de vingança pusilânime.

No ambiente de recolhimento – e talvez de íntimo remorso – que recolheu a palavra sem vacilação do novo diretor, talvez se tenham convertido muitas mentalidades e muitas intenções.

Sinceramente? Não se pode saber, nem se tem, infelizmente, o direito de acreditar...

Mas o dr. Anísio Teixeira vem, como declarou, para realizar. Não há, pois, motivo, mais, para fantasias nem ataques retóricos. Vamos entrar num período de atividade. De trabalho. De trabalho honesto e justo – como é tanto do programa do dr. Pedro Ernesto como do próprio diretor tão sabiamente por ele escolhido.

E, embora o dr. Anísio Teixeira tenha naturalmente de acrescentar à obra encontrada pormenores de sua autoria, todos os que colaborarem no movimento grandioso, que hoje se esboça, estão colaborando na reforma do seu antecessor, e prestando-lhe, queiram ou não, a homenagem que avaramente lhe negaram, e que um diretor que é uma autoridade no assunto, publicamente lhe prestou, no momento justo em que lhe sucedia, para benefício do Brasil, honra do interventor que o escolheu e afirmação positiva e indiscutível da Revolução de outubro.

Rio de Janeiro, *Diário de Notícias*, 16 de outubro de 1931

A confissão do sr. Francisco Campos...

Um jornalista curioso quis conhecer as ideias do sr. Francisco Campos. Abordou-o agora em São Paulo. Talvez supondo que, afastado do Ministério da Educação, o ex-ministro já tivesse refletido sobre os seus atos e tivesse serenidade para compreender, tal como deve ser compreendido, o famoso decreto sobre o ensino religioso, engendrado pela união da sua imaginação católica com o seu misticismo político.

E o jornalista não se enganou. O sr. Francisco Campos deve ter, na verdade, maduramente refletido. Refletiu tanto, e passou a ser de tal maneira sincero e a fazer tão ponderados exames de consciência que as suas declarações adquirem um caráter de inverossimilhança, pela rapidez da transformação.

É verdade que o sr. Francisco Campos não se arrependeu do que fez. Pelo menos não o declarou. Mas também não se pode exigir tudo de uma vez! E, embora sem se manifestar arrependido, talvez – quem sabe? – porque o jornalista não insistiu sobre esse ponto, o sr. Francisco Campos revelou uma humildade de espírito realmente digna de ser imitada.

O ex-ministro declarou, francamente, sem sombra de hesitação, que a sua administração tinha primado por ser *atrasada*. Sim, atrasada. Arcaica. Medieval. Justamente o que afirmamos aqui, inúmeras vezes, – e que talvez tenha concorrido, em parte, para estimular essa convicção tão profunda.

Está claro que não disse textualmente assim. Nem o queremos fazer crer ao leitor, mesmo porque o DOP amanhã seria capaz de negar.

Mas, transcrevendo do vespertino que acabamos de ler a palavra ainda não desmentida do genial jornalista que se aproximou do ex-ministro, aqui temos:

" – Mas, perguntamos ainda, o ensino religioso não será uma reforma muito avançada em nossos costumes?" – perguntou com ingenuidade ou malícia o nosso confrade.

E o ex-ministro, comoventemente:

"– Oh! não, são exatamente aqueles mais avançados que combatem essa reforma."

Pois claro.

Isso mesmo.

O sr. Francisco Campos está perfeitamente certo, nessa afirmativa.

Os avançados, quer dizer, os da Escola Nova, os dos métodos coerentes da época atual. Os responsáveis pelo sentido da vida humana. Os responsáveis pela liberdade, no seu mais nobre e puro sentido. Os que conhecem psicologia, principalmente psicologia da criança. Os que amam a paz, a verdade, a moral, a virtude, a fraternidade. Os que não querem subjugar a criança por interesses que não são da infância, interesses do adulto, e, em certos casos, do adulto que – para dizer política, dinheiro, rapacidade, corrupção, domínio, injustiça, ignorância, mentira, ódio, – fala, confusamente, em perguntas e respostas, no Cristo (oh! Cristo, quantas vezes te hão de crucificar!), em moral, em religião, e outros nomes mais, todos diferentes de sentido, mas que, às vezes, convém fazer ambíguos...

São esses avançados, exaustos de experiências horríveis do Brasil e do mundo, vendo os fantasmas da guerra, da fome, do sacrifício debatendo-se, diante dos seus olhos, com expressões seráficas, ditas com os lábios, enquanto as mãos atiçam os crimes, – são esses que acreditaram que uma revolução, no Brasil, significava uma era nova de construção moral, e querem essa construção dentro da isenção de credos que, unicamente, pode assegurar uma atmosfera de respeito mútuo – sem falar já nos próprios inconvenientes de caráter pedagógico e psicológico da questão.

Se o sr. Francisco Campos foi revolucionário devia pensar assim. E se não pensa assim não é revolucionário. E se os outros autores da Revolução pensam como o sr. Francisco Campos, pode-se dizer que não houve Revolução no Brasil.

Mas sabemos que houve. Sabemos que o sr. Francisco Campos é que não estava familiarizado com o seu sentido. Tanto que reconhece serem os mais avançados, os mais adiantados os que detestam o seu decreto, e a lembrança da sua administração retrógrada e mesquinha, em que tudo revelou incompreensão – aumento de taxas, reformas sem plano, e o decreto, o decreto, o decreto...

Com quem ficará o governo, afinal? Com os que trabalham lealmente por ele? Com os que lutam conscientemente pela liberdade e pela elevação do Brasil, isentos de interesses sectaristas, deixando a cada um o direito de cuidar da sua alma, dentro das possibilidades da sua inteligência? Ou com o ex-ministro que confessa à imprensa, abertamente, que é atrasado, conservador, arcaico – e até, quem sabe lá, se monarquista?

Rio de Janeiro, *Diário de Notícias*, 24 de outubro de 1931

Confiança

A gente se habitua a esta visão contínua das ruas centrais, com uma turba aparentemente vinda de ambientes confortáveis, que parece ignorar por completo a penúria, e se move com uma espécie de alegria numa atividade saudável.

Mas, se passarmos em revista as nossas escolas, uma outra visão vem desequilibrar a primeira, deixando-nos perplexos com a realidade que palpita por detrás das impressões apressadas e superficiais de cada dia.

Nossas escolas estão transbordantes de uma população em absoluto contraste com todas as aparências das ruas.

Uma enorme multidão malvestida, mal-alimentada, enferma, tristonha, incapacitada pelas duras contingências de um meio sacrificado, transita pelas escolas resumindo em si toda a amargura, todo o abandono, toda a debilidade, mal conhecidos, e que são a estrutura de um povo subitamente encorajado com a vitória da Revolução.

Essas crianças dificilmente trajadas, dificilmente calçadas, dificilmente nutridas que conseguem chegar à escola não são ainda toda a infância brasileira. São uma parte dela, apenas. Mas servem para diagnosticar todo o mal imenso do país.

Todo o problema da nossa formação parte, evidentemente, da situação da infância que vai ser a vida brasileira de amanhã.

Essa situação é a mais precária possível.

O trabalho dos professores tem, por força, de se ressentir de todas essas dificuldades que se lhe opõem.

Lutam com a mentalidade geral, que, naturalmente, não pode toda estar em nível de compreender os serviços educacionais. Nessa luta, incertos na crença do triunfo, transigem, temendo a perda.

Lutam com a mentalidade infantil, perturbada pelas mais tristes influências pré-escolares.

Lutam com a miséria do ambiente. Com as exigências dos lares pobres, em que a criança já recebe sua ração de sofrimento e paga seu tributo de esforço diário, cruel, injusto e nocivo.

Lutam com a debilidade orgânica, levada a um extremo de improdução, e sem respostas mais para qualquer apelo da pedagogia.

Lutam de um modo terrível.

E ninguém diria. Porque as ruas estão cheias de automóveis, de pessoas relativamente bem-vestidas e numa grande maioria até muitíssimo bem; e as casas se alinham sem um aspecto de miséria correspondente àquele que a escola vem, o mais claramente possível, revelar.

Ora, a escola é o índice das nossas possibilidades. Tudo quanto a favorecer favorece o país, e inversamente.

O professorado, há um ano entregue a completo abandono, sente, aflitivamente, que só um movimento de coordenação geral virá dar à escola poderes maiores para atuar na formação brasileira, transformando em unidades úteis todas as crianças que a frequentam, e as que não a podem frequentar.

E a sua confiança volta-se para o novo diretor de Instrução, conscientemente colocado nesse cargo, senhor da sua responsabilidade infinita e que, além do mais, lucidamente declarou, em seu discurso de posse, vir facilitar-lhe a importante função em que se empenha a sua vida.

Esse professorado está certo de que o dr. Anísio Teixeira sabe, compreende, conhece todos os obstáculos à sua obra. E que os vai remover, um por um. Nenhuma atitude poderia ser mais útil ao movimento educacional que neste momento se ativa.

Dessa preliminar confiança, terão de derivar, por força, os mais formidáveis resultados para a grande obra popular, fazendo da educação o trabalho mais agradável e mais belo tanto para professores como para alunos. E a escola chegará ao máximo de eficiência e o país poderá caminhar para a plenitude das suas realizações.

Rio de Janeiro, *Diário de Notícias*, 29 de outubro de 1931

Uma aposta

Comunico aos interessados que acabo de fazer uma aposta. Uma notável aposta.

É o caso que eu sou profunda admiradora do espírito revolucionário. Já o previa, antes da Revolução. Acreditei sempre que só com esse espírito se poderia transformar o Brasil. E quando a Revolução chegou tive um verdadeiro encantamento.

Hoje estou convencida de que o pensamento brasileiro era igual ao meu.

Todos estavam ansiosos por uma transformação do Brasil. Todos esperavam uma fase revolucionária. Revolução armada ou não. Porque não era obrigatório que a Revolução fosse armada. Bastava que fosse um movimento de renovação ideológica, – e a sua fórmula mais sincera e eficiente, seria um interesse crescente pelos aspectos da educação nacional.

Veio a Revolução. Foi apenas a precipitação do fenômeno que representava a ansiedade geral.

Proclamou-se o espírito revolucionário.

Alegria das grandes conquistas. Dos grandes sonhos esperados, e enfim triunfantes...

Ficamos todos com uma verdadeira certeza de que os destinos brasileiros tinham mudado.

E por mais que os homens desprovidos de fé queiram, de vez em quando, inventar que o Brasil ficou como era, basta abrir um pouco os olhos com boa vontade para se sentir que não estamos nos tempos antigos, que existem, de fato, inquietudes novas, que aguardam, apenas, a sua forma definitiva, para se tornarem evidentes para sempre.

A esta altura, vou contar a minha aposta.

Eu estava aqui na minha mesa, batendo o artigo de ontem nesta minha amável máquina de escrever. Aquele artigo que falava do Ministério da Educação e do dr. Fernando de Azevedo.

Entrou por esta sala adentro um destes homens cépticos que a Revolução, desgraçadamente, ainda não conseguiu corrigir.

Entrou, sentou-se aqui perto, olhou para o meu artigo e sorriu. Sorriso pérfido. Sorriso ruim de gente que não acredita nas coisas boas da vida. Sorriu insistentemente.

– A sr.ª acredita mesmo nisto?

Levantei os olhos espantada.

– Claro que sim. Ora essa...

E fiquei olhando.

– E pensa mesmo que seja possível uma coisa assim?

– Que coisa?

– Vir um técnico para o Ministério da Educação.

– Acredito.

– Acredita?

– Acredito, sim. Acredito na Revolução. Acredito nos revolucionários. Tenho obrigação de acreditar. Acreditaria ainda que não acreditasse.

– Como?

– Pois, então, faz-se uma revolução para transformar o Brasil; espera-se, coopera-se, e não se acredita, depois?

– Mas... há transigências...

– Há também erros de visão. Mas há revolucionários. Revolucionários conscientes. Que não se podem contradizer. Que estão vendo diante de si um auditório inexorável. Acha pouco?

– E Minas?

– Que Minas?!

– E os interesses políticos?

– Não sabe que se acabaram os interesses políticos?

– Como?

– Pois é isso mesmo... E, se quiser, vamos fazer uma aposta.

– Como quiser.

E sorriu, pérfido, pérfido, pérfido de dar raiva...

– Ou um técnico no ministério ou a falência da Revolução.

– Aceito.

– Sem política, sem transações...

– Sem nada. Com espírito revolucionário.

E o miserável, com ênfase:

– Olha que perde!

– Ah!... se perder, perde a Revolução também...

– Vai arrepender-se...

– Não. Por mais que perca sempre me salvo.

Crônicas de educação 2 • 195

– E a Revolução?

– Isso é lá com ela...

P.S. – Já estava composto este "Comentário", quando nos chegou a notícia da nomeação do sr. Francisco Campos para ministro da Educação.

Rio de Janeiro, *Diário de Notícias*, 2 de dezembro de 1931

A aposta

O leitor está pensando que eu perdi a minha aposta de ontem...
Há uma porção de gente pensando assim.
E o Rochinha entrou aqui agora mesmo, radioso, para receber o seu prêmio, que eu, aliás, não paguei.
Não paguei porque sou a única pessoa que não acredita ter perdido.
E vou explicar por quê.
O Rochinha é pessimista, céptico, mau cidadão da República Nova, homem indigno que não amarrou lenço vermelho no pescoço quando chegaram os gaúchos. E, depois de eu ter escrito um poema bem bonito, saudando a inauguração dos tempos novos, ele me olhava com aqueles seus olhos satânicos, e sorria com a malícia de um jesuíta preparando uma traição.
O Rochinha pensa que ganhou, porque está vendo todo o mundo murmurar coisas contra a Revolução e os revolucionários. Pensa que o caso do Ministério da Educação vai ficar assim como dizem que ficou desde ontem, isto é, como esteve no princípio, sem solução.
Mas eu não acredito. Eu sou uma criatura de fé. Uma criatura de certezas inabaláveis. De pressentimentos. De esperanças. De sonho. De idealismo. Tudo isso. Tudo isso que os autores da República Nova prometeram, e que a gente tem o direito de reclamar, justamente porque não pediu.
O Rochinha fala na bancarrota, no desastre nacional, na derrota do espírito revolucionário. Se eu não soubesse que ele é assim por desilusão, por neurastenia e falta de dinheiro, apontava-o como agitador e o mandava para o Tribunal Militar.
Mas sei que o seu pessimismo é passageiro. Sei que ele é apenas uma vítima, como todas as outras, que o Brasil possui.
Gostaria de salvá-lo. É um ato agradável salvar alguém. O Rochinha precisa ser salvo.
E é para salvar este pessimismo característico de uma infinidade de elementos de que a Revolução carece, para sua completa eficiência, que eu não me considero vencida.

Vamos esperar. Um, dois, dez, vinte dias. O tempo não importa. Nós todos somos infinitos...

Qualquer destes dias eu vou ganhar a aposta. E só faço questão de a ganhar para salvar os pessimistas, e prestigiar a obra revolucionária, que não pode estar assim ao acaso de qualquer calamidade, evidentemente em desacordo com a verdadeira inquietude dos brasileiros que se resolveram a trabalhar por um Brasil maior, mais perfeito, mais justo, mais coerente consigo mesmo e com as suas responsabilidades.

Não me considero vencida.

Vamos esperar.

Até quando?

Não sei. Até a Revolução triunfar, verdadeiramente. No dia em que ela triunfar, eu triunfo também. Quero triunfar com ela. Quero vencer o pessimismo e a perversidade dos neurastênicos.

Porque, se os neurastênicos vencem, então é que estamos todos perdidos... Perdidos, mesmo. E sem socorro mais nenhum...

Rio de Janeiro, *Diário de Notícias*, 3 de dezembro de 1931

Variações em torno de uma aposta

O interventor de São Paulo mandou redigir um decreto abolindo o ensino religioso nas escolas públicas estaduais.

É mais um ato de elevada importância que o coronel Manuel Rabelo acaba de praticar. E só lhe faltou para ser totalmente admirável invocar a razão educacional como o ponto mais importante para a justificação da impropriedade do decreto do ex-atual ministro Francisco Campos.

Este senhor, por sinal, foi, muito indiretamente, o motivo daquela aposta que tanto tem interessado os meus assíduos leitores.

A cada instante me vêm telefonando, estes dois dias, querendo saber se ganho ou perco. Há uma verdadeira "torcida", nas rodas educacionais, políticas, literárias etc. Os partidários do Rochinha – confesso-o lealmente – são mais numerosos que os meus. Mas, entre as grandes qualidades que me venho atribuindo – contra os meus hábitos – esqueci-me de citar até agora a perseverança nas minhas convicções.

Analisemos, agora, a situação.

Pois não é que, no momento preciso em que constou ter sido o sr. Francisco Campos renomeado ministro da Saúde Pública, o interventor de São Paulo põe abaixo o decreto mais representativo da mentalidade daquele ministro, durante a sua famosa gestão, dignamente enaltecida pelo dr. Belisário Pena?

E não foi em São Paulo, nesse mesmo Estado que agora tem a sorte de estar emancipado do abominável atentado contra a educação, que o próprio sr. Francisco Campos, num extraordinário momento de lucidez, declarou à imprensa que o seu decreto era combatido só pelas pessoas de ideias avançadas – e, consequentemente – apoiado pelas de ideias retrógradas?

Que barafunda!

E o Rochinha teimando comigo que a Revolução naufragou. E eu querendo salvar a Revolução, e procurando que ela mesma se salve – porque sou uma pobre criatura sozinha, sem força para tão grande empreendimento.

E os leitores perguntando-me, incrédulos:

– Então, a aposta?

E eu sem querer ser vencida, isto é, sem querer que vençam o pessimismo, a politiquice, a intriga, a descrença, a má-fé, o interesse pessoal, a vaidade, a ambição sórdida etc. etc.

E os dias vacilando sobre o fio do destino que sustenta o nosso próspero Brasil...

Tudo está certo, afinal. A situação é curiosíssima. A aposta, eu estou cada vez mais certa que a ganharei. Ganharei. Se o Rochinha triunfa só há um recurso – mandar buscar o sr. Júlio Prestes, o trabalhador, para vir tomar conta do Brasil.

Será possível?

Não, não é possível, evidentemente. Há que trabalhar para pôr as coisas nos seus lugares certos. Mas, se custar muito, será conveniente mudar o nome do ministério, enquanto se travam os debates.

Porque, com todas estas complicações, o nome Ministério DA EDUCAÇÃO parece um pouco... escandaloso... – não acham?

Rio de Janeiro, *Diário de Notícias*, 4 de dezembro de 1931

A Diretoria de Instrução

No meio do imenso caos em que nos encontramos, quando ainda as manobras políticas não conseguiram libertar o destino da Revolução para os fins que o Brasil aguarda, não deixa de ser consolador contemplar a atividade com que se vão desenvolvendo os trabalhos da Diretoria de Instrução, que, com a administração Anísio Teixeira – Isaías Alves entrou num período francamente fecundo e brilhante.

As providências já tomadas pelo atual diretor de Instrução, a fim de facilitar o trabalho dos professores e aumentar a eficiência do ensino, dão-nos as mais sérias certezas de que entramos, enfim, num caminho próspero de realidades educacionais.

A Subdiretoria Técnica, que neste momento se empenha num trabalho de apuração do rendimento escolar, está perfeitamente aparelhada para chegar às conclusões necessárias a um serviço pedagógico capaz de atender às condições do nosso meio, e em pleno acordo com a ideologia do tempo.

Fica sendo, assim, a Diretoria de Instrução a mais bela realidade deste momento, e a única que pode representar dignamente a inquietude traduzida pelo movimento revolucionário.

Quando tudo fracassasse, uma obra educacional que se conseguisse manter intacta, consciente da sua gravidade, incapaz de transigir com interesses inferiores, pronta a pairar sobre todas as vacilações das horas, seria o motivo mais cheio de inspiração para uma fé sem declínio na salvação brasileira.

A Diretoria de Instrução está realizando uma coisa assim.

Malgrado as pequenas resistências que todas as grandes obras encontram, ela está fortemente preparada para uma ação de altíssimo significado, como única representante de um idealismo fervoroso e sólido, que não se perde em palavras, que não se gasta em projetos, mas, ao contrário, desce a todos os pormenores da prática mais imediata para lhe levar os elementos de que carece, a fim de se poder colocar o mais próxima possível do sonho que a determina.

No cenário desolado da educação brasileira, esta obra que se inicia debaixo dos mais admiráveis compromissos tem qualquer coisa de anunciador para o sentido da nossa nacionalidade.

O desvario intelectual, a angústia das classes oprimidas, o sonho de reerguimento da humanidade numa grande aproximação de amor, todas essas rápidas coisas infinitas que se entrechocam no mundo, neste momento terrível, para fazer nascer os dias novos que virão, deixam-nos a íntima convicção de que só um inteligente movimento educacional há de salvar o mundo neste difícil transe.

Todos os povos têm chegado a essa conclusão. Nós também já chegamos. Depois da implantação da admirável iniciativa a que se lançou o dr. Fernando de Azevedo, a certeza que nos dá a Diretoria de Instrução é a própria certeza de que viveremos, porque a nossa vida ela a guarda consigo, na orientação da infância brasileira, que é a fórmula exata da vida do Brasil.

Rio de Janeiro, *Diário de Notícias*, 5 de dezembro de 1931

Os "cavadores" da educação

É certo que o movimento em favor da educação está formando, no Brasil, um desenvolvimento verdadeiramente notável, e que há elementos de intransigente sinceridade, dispostos a dar todas as suas forças para que esses novos ideais adquiram a mais poderosa intensidade e venham a constituir a nossa realização mais sólida, e a mais bela segurança para os dias que hoje elaboramos, e que outros finalmente viverão.

Mas, em meio a essa inquietude fervorosa com que as inteligências mais esclarecidas se dedicam ao motivo educacional, dando-lhe todo o seu interesse, e buscando a mais pura maneira de o servirem, aparecem aqui e ali, nos mais diversos meios, as figuras singulares daqueles que de tudo se aproveitam e, confusamente, procuram, agora, imiscuir-se nas coisas de educação com esse faro particular que possuem certas criaturas que de tudo tiram partido, seja lá de que modo for.

Os "cavadores" da educação deixam em quem os observa uma impressão tristíssima de repugnância e desgosto. Esse desvirtuar da mais bela coisa do mundo por uma ambição pessoal sempre feia e pequenina, dá-nos uma decepção tão profunda sobre a vida, que se chega a descrer da eficiência da própria obra sincera, e a ver todas as tentativas sob uma nuvem de desconfiança.

Num país em que as iniciativas educacionais tiveram sempre tanta dificuldade em vencer, é espantosa a quantidade de pedagogos que aparecem agora, fazendo discursos pelas esquinas, discutindo métodos, opinando sobre a solução adequada de todos os assuntos técnicos, com uma sapiência inesperada e absolutamente desorientadora.

Ah! se os possuíssemos de verdade! Se tivéssemos, realmente, tantos entendidos quantos esses que a cada instante surgem, com ares divinos, pregando fórmulas novas e justas para a salvação nacional!

E assim se organizam festas, solenidades, exposições, concursos etc., sob a responsabilidade de nomes ou completamente alheios a todas as coisas que subscrevem ou mesmo na mais completa contradição com elas.

Ora, o curioso é que esses oportunistas da educação não compreendem imediatamente que as pessoas que estão de fato trabalhando com sinceridade na obra da educação, possuem, por assim dizer, uma senha que as distingue logo à primeira vista. Conhecem-se, entre si. E não há nada que iluda esse conhecimento. Há um certo número de gestos, de atitudes, de palavras, de práticas, que permitem a sensação da presença justa e infalível daqueles que estão empenhados num trabalho comum. Os que lhe são alheios aparecem, então, vistos de fora, estranhos, sem conexão com os seus interesses, a uma distância que permite um exame nítido, sereno e definitivo.

Eu digo estas coisas como quem faz um aviso. Porque estou vendo uma porção de manobras em redor deste momento educacional do Brasil, que é o seu mais alto e mais puro momento, aquele diante do qual todas as cavações deviam recuar envergonhadas.

Os interessados ficam prevenidos de que são facilmente reconhecidos. E, como a sua situação não é nada agradável, eu ainda me resolvo a este gesto de camaradagem, porque acho que não se deve ser cruel, nem mesmo com os inimigos...

Rio de Janeiro, *Diário de Notícias*, 10 de dezembro de 1931

Possibilidades...

Ando com possibilidades de me reconciliar com o sr. Francisco Campos. Na verdade, nunca lhe quis nenhum mal. Foi mesmo por esta boa vontade que tenho para com todas as criaturas que me desgostei de o ver num ministério a que foi levado por motivos muito obscuros e confusos, e para o qual não tem nenhuma vocação. A educação moderna inclui entre as suas preocupações fundamentais essa de não contrariar as vocações, e conseguir, a todo o transe, aquela coisa insuportável que se diz a propósito de tudo: *The right man in the right place.*

Mas de uma semana para cá, o sr. Francisco Campos iniciou uma campanha de autorreabilitação que me parece muitíssimo mais importante que a sua legião romana e o seu decreto romano também: foi quando se isentou de qualquer atuação na Conferência de Educação, deixando aos congressistas a responsabilidade de indicar os rumos convenientes para a orientação humana – coisa que deixou delirante o meu nobre colega Nóbrega da Cunha...

Achei tão bonito esse gesto do dr. Francisco Campos que me pus até pensativa... Dias depois, um congressista partidário do rumo às praias dos mares e dos rios declarou que aquilo de que todos precisamos é juízo. E fiquei dizendo cá dentro: É capaz de ser isso mesmo...

Agora, foi nomeado para o Ministério da Educação (para um cargo desse ministério) o professor Lourenço Filho, ex-diretor de Ensino de São Paulo. Isso é uma forma do sr. Francisco Campos fazer sentir ao público que tem interesse em moralizar os serviços sob sua administração, que até aqui têm sido, salvo qualquer exceção, os mais lamentáveis possíveis.

Com o professor Lourenço Filho pode haver esperanças de novos tempos. Por mais que o leitor estranhe o que lhe estou dizendo, depois da execução do decreto sobre o ensino religioso em São Paulo. Isso é uma história muito comprida, que eu vou contar qualquer dia. E deve ser interessante, porque o leitor bem viu que eu me zanguei seriamente com o ex-diretor de Ensino de São Paulo. Mas foi só com o ex-diretor, e não com o educador, que se salvou a tempo.

Ora, eu estou vendo em tudo isto caminhos para uma provável reconciliação com o ministro. E seria mesmo bom. Não para mim, está claro, mas para o povo, porque, quando eu defendo uma coisa, não é jamais para mim...

Se o ministério ficasse de fato consertado! Se a educação passasse a ser um interesse supremo, entre todos os interesses do Brasil... Se fosse possível...

Mas isto é como no jogo do chicote queimado. Está quase... Afastando-se com dignidade de uma conferência técnica inconciliável com a sua técnica política, dando a resoluta prova de lucidez que conseguiu dar escolhendo para o ministério o professor Lourenço Filho, só fica faltando a atitude destemida de se desligar do próprio ministério, com um gesto heroicamente revolucionário, para que a minha reconciliação se opere imediatamente, e com verdadeira alegria.

Palavra que eu ficava alegre, mesmo. E tenho razão para isso. Todas as razões, mais esta: a célebre aposta que não quero de modo nenhum perder...

Rio de Janeiro, *Diário de Notícias*, 20 de dezembro de 1931

Um líder

A liderança com que o sr. Fernando de Azevedo acaba de ser investido, por ocasião da 4ª Conferência de Educação, é uma liderança que já lhe pertencia, e que apenas foi recordada neste momento importantíssimo da vida nacional como um dever de justiça à obra que realizou entre nós, e que tão grande repercussão teve em todo o Brasil.

Realmente, embora a sua atuação se tenha manifestado mais claramente na reforma do ensino primário de que dotou o Distrito Federal, o valor verdadeiro da sua obra não se detém aí. Essa obra visa a educação integral, em todas as suas etapas, e abrange toda a extensão da vida humana, na mais alta compreensão que dessa vida se possa ter.

A qualidade de educador, o dr. Fernando de Azevedo não a ganhou nem a perdeu com a sua passagem pela Diretoria de Instrução. Teve, então, apenas, a oportunidade de a definir mais decisivamente.

E quando a Revolução – por um desses desastrados golpes provenientes da superstição de que renovar é substituir indivíduos, em vez de selecionar ideias, – alterou a situação do ensino primário, aqui no Distrito Federal, a ponto de o deixar agonizante um ano inteiro, – o dr. Fernando de Azevedo, embora já longe de quaisquer compromissos com o povo, continuou a sustentar a atitude assumida no cargo antes ocupado, com facilidades maiores ainda, para essa sustentação, uma vez que o não limitavam nem interesses, nem perigos, e nem essas transigências que são sempre a mais grave ameaça para quem se acha empenhado na edificação de qualquer coisa maior que a sua própria vida.

Nessa atmosfera nova de liberdade, para além das responsabilidades dos cargos, na responsabilidade maior da intenção humana, o dr. Fernando de Azevedo continuou a ser, e cada vez mais, o animador da renovação pedagógica que, depois da Revolução, quebrado um dos centros mais prósperos, como o do Espírito Santo, se transferiu, com uma eficiência admirável, para São Paulo, onde se fixou na iniciativa brilhantíssima do professor Lourenço Filho, inesquecível (malgrado a sombra que ainda a tolda) para todo o Brasil.

Realizando uma série magnífica de conferências agora reunidas em *Novos caminhos e novos fins*; dirigindo uma biblioteca pedagógica de valor inestimável neste momento de inquietação geral, e rumos ainda inseguros; criando um boletim educacional que será uma fórmula a mais para a solução do principal problema da nossa nacionalidade, – o dr. Fernando de Azevedo não fez mais que insistir, com aquela extraordinária tenacidade que todos lhe reconhecem, nessa convicção de trabalho imprescindível de que tanta gente descrê, e que tanta gente combate...

A liderança que lhe deu, pois, o grupo em nome do qual falou o sr. Nóbrega da Cunha, na 4ª Conferência de Educação, é uma liderança mais que justa, e importantíssima.

Aliás, não digo bem: o sr. Nóbrega da Cunha não chegou propriamente a falar, porque a campainha, abusando do direito de ser campainha, interrompeu-lhe a palavra, inexoravelmente, no momento mais precioso. Mas nem isso foi contratempo. O que não pôde ser palavra falada ficou sendo palavra escrita. Acha-se registrada na ata a consagração de um educador que pode, realmente, dar ao Brasil uma força maior, para a construção de seu destino. E ainda quando a ata se extraviasse, a consagração ficava, porque há coisas que, de tão grandes, podem viver sustentadas por si mesmas, mesmo quando lhes tirem esses encantamentos exteriores com que se costuma assegurar ao sonho uma vida mais estável, com este medo, que sempre se tem, de que o belo passe depressa e as ideias gloriosas entregues ao seu destino possam cair em súbita decadência...

Rio de Janeiro, *Diário de Notícias*, 25 de dezembro de 1931

A minha aposta...

A minha aposta... Oh! aquela minha aposta é mesmo uma coisa muito séria. Embora seja uma grande e luminosa esperança, é também o maior tormento da minha vida atual. Este viver debruçado sobre os dias, com os olhos interrogando cada minuto que chega e teima em ficar silencioso, sem se saber o que guarda em tal silêncio, é um sofrimento impossível que só os poetas sabem, mas que se faz muito difícil viver fora da poesia.

E, além disso, há sempre uma voz amável que se lembra de recordar:

– E então, a aposta...?

Ora, eu não disse quando a ganhava. (De esperta...) Eu só disse que a havia de ganhar. Porque o tempo não existe. Nem nós, nem nada. O que existe, para mim, é só aquela aposta. Olhando bem, talvez ainda exista o Rochinha, ao longe, esperando pelo fim. Mas o Rochinha, antes de perder a aposta, perde a paciência. E eu ganho duas vezes. De maneira que nem ele – meu amigo, perdoe-me! – nem ele mesmo perturba agora a minha expectativa.

Agora, veja o leitor como as coisas se preparam. O maior mal do decreto do sr. Francisco Campos foi o mal que fez a São Paulo. Em São Paulo havia um movimento educacional que honrava o Brasil revolucionário. Veio o sr. Laudo de Camargo, veio o decreto, vieram os bispos, amaldiçoaram a Escola Nova do professor Lourenço Filho, quiseram desmoralizá-la, depois arranjaram aquele jeitinho eclesiástico de prestidigitação, colocaram os nomes às coisas, misturaram tudo, fizeram da escola uma agência de informações sobre o credo das famílias, – mais ou menos no gênero daquele serviço que o padre Negromonte organizou em Minas, distribuindo às suas pudicas beatas o encargo de saber as uniões ilícitas da paróquia, as crianças pagãs e as rusgas domésticas – e o resultado místico disso tudo foi a beatificação do ensino paulista, pesando sobre o nome do professor Lourenço Filho como uma injúria que ele fez o sacrifício de aceitar e que todos nós, por isso, lhe perdoaremos, compreensivamente.

Mas não há nada como um dia depois do outro, ó minha aposta!

O cidadão interventor, coronel Manuel Rabelo, que oficializou todos os mendigos nossos colegas, num gesto inacreditável, nesta época em que a solidariedade é tão louvada e tão esquecida, – desde o princípio do seu governo se sentiu mal com o decreto sobre o ensino *religioso*, quer dizer, *católico*...

Sentiu-se mal e, com aquela mesma franqueza com que nos considerou a nós, os mendigos, gente de utilidade pública, tratou de abalar o malfadado decreto que tanto comprometeu a cultura do duas vezes ministro, segundo dizem, da Educação.

Conta-se... – ainda que seja boato agora já se pode dizer... – conta-se que houve alguém que protestou, que bateu com o pé, que fez barulho, sem querer concordar com o interventor. Foi por isso que eu escrevi um "Comentário" meio manhoso, como convinha ao assunto, e no mesmo estilo jesuítico, perguntando que é que se iria ficar pensando se o decreto não caísse, em São Paulo, depois do manifesto desejo do interventor e dos compromissos anteriormente assumidos, perante o público, quanto à liberdade de consciência e de ensino, pelo atual diretor de Instrução daquele estado, o sr. professor Sud Menucci.

Mas o decreto caiu. E, se caiu, em São Paulo, onde tinha conquistado o seu único triunfo, embora à custa de uma dolorosa experiência, – em que condições fica o prestígio de quem o inventou?

E, com um prestígio nessas condições, quem é que pode ser tomado como ministro, ainda que não abandone o seu cargo?

Como o leitor vê, de maneira muito indireta, embora, eu ando ganhando pouco a pouco a minha aposta. Tão devagarinho que só eu mesma é que sei por onde vai a minha vitória.

E aqui acontece-me esta coisa espantosa: o medo de ganhar, mesmo. Começo a ter uma pena tão grande de ganhar que só eu também sei! Porque aquilo que se ganha, por um lado, é sempre o que outros perdem, por outro... E os vencedores têm sempre este tédio de terem feito perder...

Por isso, deixo aqui uma sugestão leal: por que o sr. Francisco Campos não põe abaixo o seu decreto, declarando em voz alta o que, durante a censura todo o mundo murmurava timidamente: que o decreto não é seu, que a sua inteligência não soçobrou, que ele, ministro, tem sido, nisto tudo, apenas uma vítima, à espera do seu dia de compreensão?

Esse dia pode vir. Mas é preciso fazê-lo. Eu, se fosse o sr. Francisco Campos, fazia-o. Pode ser que deixasse de ser ministro. Mas, se isso acontecesse, então, sim, que era capaz de ser ministro, de fato, pela terceira vez...

Rio de Janeiro, *Diário de Notícias*, 29 de dezembro de 1931

O Ministério da Educação [IV]

O leitor bem viu quanto tempo eu levei sem falar no Ministério da Educação. Parece mentira.

O Rochinha, com aquela má vontade de conservador pessimista, passou por aqui estes dias só para me perguntar outra vez pela aposta. Pensou que eu andasse calada por causa dela.

E tinha razão. Era isso mesmo. Apenas de um modo diverso do que ele imaginava.

Quando eu fiz aquela aposta de que o leitor com certeza se lembra, não marquei data nenhuma para ganhar ou perder. Além disso, havia duas maneiras de a ganhar. É verdade que eu não o expliquei, então. Mas faço-o agora.

Primeiro, – ganharia se o sr. Francisco Campos saísse do ministério. Era a mais ruidosa forma de ganhar. Mas isso de ruído quanto menos melhor. Ainda há pouco o professor Henrique Roxo disse pelos jornais como o ruído é prejudicial à saúde.

A segunda maneira é a mais interessante. O sr. Francisco Campos saía sem sair. Por sua livre vontade. Saía, ficando.

Como? – vai perguntar o leitor.

Ah!... Isso agora é que eu não digo, embora ainda não haja censura. Não digo para acostumar o leitor à sutileza do meu raciocínio.

O sr. Francisco Campos não saía. Quer dizer, continuava a ir ao ministério, mas a pensar em política. Resolvia com a sua consciência não atrapalhar mais do que já fez a situação educacional do Brasil. Ficava quieto, deixando o ministério endireitar.

– Sozinho?

Aí é que está o segredo.

O ministério endireitava. Eu ganhava a aposta, – na minha opinião. E, como os vencedores são sempre generosos, pelo bem-estar que lhes advém da própria vitória – não escrevia mais uma linha sobre o ministro que não fosse para o louvar – como tão sinceramente desejo poder fazer.

Esses eram os meus projetos.

A Escola de Belas-Artes começou a ver resolvido o seu caso.

O Instituto de Surdos-Mudos, que andava atrapalhado com umas complicações misteriosas, começou também a se desatrapalhar.

E eu pensava: "Como vou ganhando!... Calada, é verdade... Sem que ninguém perceba... Mas ganhando sempre... Porque, se o ministério vai indo tão bem, é que o sr. Francisco Campos possui realmente um ministro a seu lado."

E continuei quieta, para não perturbar...

Anteontem tive um choque. Foi quando o ex-diretor da Escola de Belas-Artes voltou para o seu lugar. Depois disse comigo: "É como na quadrilha da roça a marcação: 'Finge que vai mas não vai...'" Sorri e esperei.

Mas não pude deixar de pensar que o sr. Francisco Campos estava voltando. E lembrei-me da aposta com certa inquietação.

Agora, porém, acabo de receber um choque maior.

O próprio ministério enviou aos jornais um comunicado sobre a Cruzada Nacional de Educação. Vindo do ministério de onde vem, é realmente um sintoma gravíssimo. A cruzada chama-se *de Educação*. Mas o comunicado louva é a renhida batalha que se vai travar com o analfabetismo. Não sei se essa cruzada é a do dr. Armbrust ou a do dr. Miguel Couto, que é especialista no assunto, com longa prática em matéria de apoio moral.

De qualquer forma, um comunicado oficial, dizendo o que diz, faz a gente ficar pensativa.

O comunicado vai direitinho aí para o lado direito. Se não é apócrifo, como chego a supor, é caso de dar parabéns ao Rochinha. Perdi a aposta, acabou-se o ministério e faliu a Revolução.

Mas, não sei por quê, ainda tenho uma fugitiva esperança. E estou com uma vontade de entrevistar o professor Lourenço Filho...

Rio de Janeiro, *Diário de Notícias*, 16 de janeiro de 1932

A guerra santa...

A "guerra santa" – os senhores já sabem... – é a campanha contra o analfabetismo.
Vai começar brevemente.
Inúmeras vezes se tem estado à beira de tão extraordinário empreendimento. Os jornais expõem longos planos, há sessões preparatórias, com muitos discursos e magnésio, angariam-se sócios e apoio moral, – e promete-se que vai ser um saneamento completo do analfabetismo brasileiro.
Se o sertanejo lesse os jornais, tratava de fugir para bem longe. Ele, coitado, sem saber dessa história de decifrar livros, sabe coisas muito melhores e mais belas, que nós andamos precisando aprender com ele. E quando diz, como na modinha, "que a gente não deve se amofinar", está defendendo, à sua maneira, a liberdade de só fazer as coisas que lhe agradam. Excelente vantagem de que os letrados não podem, não sabem ou não querem gozar mais...
Mas o sertanejo não lê e não foge. Fica onde está. Nem assim, no entanto, a guerra santa lhe leva benefícios. A praga, o cancro, a peste do analfabetismo continua atingindo, devorando, grassando... Os discursos copiosos, com lenços brancos agitando nos ares a lembrança emocionante de bandeiras remotas; os "muito bem" veementes dos patriotas deslumbrados com o Cruzeiro do Sul; as fotografias graves, da mesa com copos de água e organizadores compungidos diante do momento célebre, como se tivessem acabado de passar pela vizinhança do Gigante Adamastor ou estivessem vendo os primeiros indivíduos da chegada às terras de Santa Cruz, – tudo isso dura uma semana ou dias. Depois, ninguém sabe de nada mais.
Isso era assim, antigamente.
Mas agora eu quero ver como vai ser.
Porque agora não se trata já de qualquer iniciativa mais ou menos arrojada, mas desprovida de condições capazes de lhe assegurarem o cobiçado êxito.
Agora há uma Cruzada Nacional de Educação e uma Cruzada de Educação Nacional. Não sei qual, mas uma das duas tem por fundador o próprio ministro da Educação, bem como o ex-ministro interino da mesma pasta, –

que seja dito de passagem representa ainda uma esperança maior, na formidável empresa, por ter declarado à imprensa, quando da sua interinidade, que possuía estudos especiais sobre a instrução primária, e planos próprios para realizar.

É verdade que, entre outras pessoas, o dr. Carneiro Leão já declarou a um jornal que não é tão fácil assim alfabetizar o Brasil. E o dr. Carneiro Leão tem certa autoridade para o dizer, porque já experimentou uma vez ser diretor de Instrução...

Mas o ministro é o ministro. E aí é que está...

Agora eu não sei qual das duas cruzadas foi que me mandou um impresso precioso, dizendo coisas assim:

"*Sejais* patriotas..."

E explica a necessidade da gente se alistar na cruzada *pró-analfabetismo*...

Eu não acredito que o sr. Francisco Campos tenha redigido com o seu próprio punho essas mal traçadas linhas. Mas, com franqueza, esse seu secretário... esse seu secretário... esse seu secretário... – qual será o seu posto na milícia que vai fazer a guerra santa?

Rio de Janeiro, *Diário de Notícias*, 28 de janeiro de 1932

Um decreto do dr. Pedro Ernesto

O decreto que o dr. Pedro Ernesto acaba de assinar, reajustando os serviços de instrução primária, é uma dessas peças que ficam para sempre honrando uma administração, – e quando se pensa que esse decreto vem atender à mais profunda necessidade de um povo, que é a de ordem educacional, tem-se a esperança de que, afinal, a vida brasileira comece a entrar no caminho das realidades eficientes para o seu progresso autêntico, pelo qual se fez responsável a própria obra da revolução.

Lendo-se honestamente a justificação de motivos que precede o decreto, verifica-se, como era, aliás, de esperar, que o atual diretor de Instrução, respeitando a intenção renovadora encontrada na Reforma Fernando de Azevedo, deu-lhe agora elementos de realidade que asseguram o funcionamento mais perfeito possível a um sistema que se impunha pela sua estrutura e largueza de alcance.

O próprio dr. Anísio Teixeira declara nessa introdução que não se cogita, neste decreto, de

> nenhuma reforma de ensino, mas da reorganização do seu aparelho central de administração e coordenação, de um alargamento da compreensão do ensino público municipal, com a adoção de cursos secundários gerais, da instituição de centros de estudos e bibliotecas para professores e da instalação de escolas experimentais, bem como de outras medidas que visam resolver os problemas do magistério propriamente dito, e o seu melhor aproveitamento.

O critério com que foi meditado e explanado todo o decreto é fácil de verificar pela sua simples leitura. Mas não podemos deixar de salientar, para o leitor menos atento, ou insuficientemente esclarecido em assuntos pedagógicos, a preocupação dominante de aproveitar em toda a sua extensão o que temos de bom, na nossa organização escolar, dando-lhe oportunidade de se tornar muito melhor, e trazendo, ao mesmo tempo, possibilidades para medidas que, até agora, pelo desgoverno que sucedeu à administração Fernando de Azevedo, não tinham sido tomadas, privando a reforma de ensino que possuíamos da eficiência que seria justo esperar.

Melhor que ninguém, o magistério poderá apreciar as vantagens que lhe advêm imediatamente deste decreto. Por ele, tudo se lhe facilita, e pode-se dizer que as vantagens que o ensino assim recebe derivam das próprias vantagens recebidas pelos professores.

Quando cada aluno puder encontrar, em cada escola, as condições a que tem direito para desenvolver seu destino, não poderemos ter mais dúvidas sobre a formação popular – problema fundamental para qualquer nação. Mas a escola sem o professor, e o professor sem compreensão, nada prometem, nem nada mesmo podem dar.

O decreto que vem ativar essa função do ensino, imprimindo-lhe o ritmo adequado para uma finalidade prevista, representa, neste momento de hesitações gerais, o estabelecimento de um dado certo e positivo para a solução nítida de uma parte importantíssima do programa de um governo que quer definir o seu significado, situando-se com justeza numa altura compatível com o tempo em que vivemos.

Assinando-o, o dr. Pedro Ernesto, mais uma vez, assume a responsabilidade da realização, em grandes moldes, de uma obra que, antes da Revolução, foi a única esperança de todos os revolucionários verdadeiros que sonham a transformação do mundo pela transformação do homem, mediante a obra de cultura extensiva e intensiva.

Rio de Janeiro, *Diário de Notícias*, 30 de janeiro de 1932

Coisas da Instrução

Daqui a dias começa o ano letivo nas escolas. Será bem diferente de todos os outros anos. O que tinha sido esperança na administração Fernando de Azevedo, malgrado todas as dificuldades que se lhe opuseram, numa campanha interesseira e pertinaz, – parecia já ter desmoronado, por um contrassenso que a Revolução não poderia justificar, e que a desprestigiava por completo.

Felizmente, no instante em que a decepção estava no ponto de se fazer definitiva para aqueles que a tinham experimentado, – e que eram os que de dentro de toda a convulsão política se contentariam sempre com uma medida de ordem educacional que garantisse ao Brasil futuro o que ainda não pode ter o Brasil presente, – o dr. Pedro Ernesto resolveu fazer o já inacreditável milagre. E o problema do ensino foi entregue, aqui na capital, ao dr. Anísio Teixeira, cuja competência, cuja boa vontade, cuja presteza de ação têm sido postas à prova, para honra cada vez maior do interventor que o escolheu, e confiança tranquila e feliz dos que trabalham na obra escolar, isentos de todo interesse inferior, e preocupados exclusivamente com o êxito de um empreendimento a que está ligado o destino do próprio povo.

O dr. Anísio Teixeira, em quatro meses de administração, conseguiu elevar de novo a obra educacional iniciada por Fernando de Azevedo ao nível previsto por esse reformador, quando, sob a indiferença da maioria e a cólera de uns poucos, teve a audácia, que já hoje vem causando admiração, de sonhar, em plena República Velha, a tentativa de reconstrução brasileira que devia ser afinal o célebre "espírito revolucionário", de que tanto se orgulham, embora sem o definirem, os campeões da Nova República.

Neste começo de ano, a escola vai aparecer bem diferente.

Bem diferente porque, no tempo do dr. Fernando de Azevedo, ainda estava numa fase de primeira curiosidade quanto à aplicação de novas conquistas pedagógicas, e, logo a seguir à sua administração, tudo entrou em dissolução, por ausência completa de diretrizes e de poderes de realização. Agora, o contraste é violentíssimo. Em quatro meses, fez-se um reajustamento capaz de permitir ao organismo geral do ensino um funcionamento que só depende agora da capacidade de cada elemento que nele se articula. Organizou-se e realizou-se um curso rápido de aperfeiçoamento que veio, inegavelmente, reavivar conhecimentos já apreendidos e criar um ambiente de nova inquietação por essas coisas pedagógicas tão sedutoras sempre, e apenas ineficientes ainda pelo abandono a que as relega uma certa falta de curiosidade e uma certa fadiga que só precisa aprender a vencer.

Em quatro meses se estudaram, com o mais resoluto desejo de acertar, todas as múltiplas coisas que giram em torno da obra escolar – simplesmente da obra escolar: já não dizemos pedagógica nem educacional – e que, para os que veem de fora, por ignorância ou perversidade, parecem sempre tão fáceis, tão suaves, tão deliciosas mesmo, e sobretudo tão convidativas...

Para quem sabe que não temos prédios escolares; que possuímos escolas superlotadas, e uma população infantil numerosíssima, ainda desatendida pelos poderes públicos; que lutamos, ao mesmo tempo, com falta de professores e abundância de diplomados; que temos a fazer toda a montagem de uma obra nova com elementos que precisam estar em concordância com a orientação dessa obra; para quem sabe que a Escola Normal que temos não pode formar, por inúmeros motivos, o professorado de que necessitamos; e que, além de toda a parte referente ao ensino primário temos toda uma outra obra importantíssima ligada ao ensino profissional, cujas dificuldades são notórias, – só a coragem de ser diretor de Instrução, com responsabilidade clara e definida, diante de cada problema, deveria constituir um motivo de respeito inabalável, fossem quais fossem as situações em que, por atenção a tão prementes solicitações nacionais, ficassem colocados alguns interesses isolados e nem sempre justos.

Falo nisso com tristeza, porque outro dia li um requerimento atribuído às professoras cariocas, em tão mau estilo, e dizendo tanta coisa lamentável para quem as disse, que não sei se deva ser levada a sério a procedência que se lhe atribui. Além de que, vinha o requerimento sem assinatura. Coisas assim são extremamente fáceis de escrever. Mas também não merecem nenhuma fé.

Foi o que, com certeza, pensou o dr. Pedro Ernesto, se tal papel lhe chegou sequer às mãos.

Eu, por mim, não creio que o magistério, que tanto se orgulha dos seus sacrifícios, e que deve estar bem certo da sua própria significação, tivesse a infelicidade de redigir espontaneamente uma série tão grande de incoerências como propositalmente para um teste...

Ou, no pior dos casos, que, depois de o escrever, não tivesse a coragem suficiente para deixar na assinatura a sinceridade das suas convicções.

Rio de Janeiro, *Diário de Notícias*, 28 de fevereiro de 1932

Revolução e educação

Há, decerto, muita gente cansada de esperar pelos resultados da Revolução. Porque existe uma mentalidade para a qual os fatos devem aparecer sem preparativos, mentalidade extraordinária dos que ainda acreditam em varinhas de condão, oposta àquela que prova o gosto da vida em fontes de dificuldades, e que se interessa talvez não tanto pelos fatos como pelo que eles contêm de significado humano, em esforço e em ideal.

Mas talvez seja verdade que o momento que atravessamos, sendo o mais perigoso, é, também, o melhor do Brasil.

Com lutas abertas em todas as direções do espírito, agora, sim, é que estamos, efetivamente, preparando uma definição da nacionalidade. Enquanto essas lutas durarem, saberemos que há um sonho de formação brasileira. Um sonho e uma esperança. Quer dizer, o preparo de uma realidade.

Não importa que se estejam tendo inúmeros interesses equívocos correndo secretamente e traiçoeiramente por debaixo deste mar. Se não houvesse resistências, qualquer deles poderia dominar, e a passividade se estabeleceria, perdidas todas as inquietudes, no abandono das coisas inutilizadas.

Mas há resistências. E daí vêm as lutas. E seja qual for o aspecto da vitória mais próxima, o futuro guarda em si uma certeza admirável da vitória mais justa.

A vitória mais justa tem de ser a que ofereça ao homem a mais superior liberdade. A que o liberte dos outros homens, e a que o liberte de si.

E, assim, esta Revolução terá sido, finalmente, uma propaganda veloz da obra de educação, mostrando aos brasileiros a sua realidade, e, por essa realidade, a urgência com que é necessário fazer uma vida nova, uma vida coerente com a Vida, menos automática e mais humana.

Pela lição que ofereceu ao Brasil todo, esta Revolução ficaria perdoada de todos os seus erros.

O Brasil inteiro está vendo a sua figura exata, nessas ondas tumultuosas que todos os dias crescem, e morrem, para desaparecer ou renascer.

Aqui estão as nossas indecisões de povo heroico, entravado no seu destino unicamente pela despreocupação com que nos temos deixado ir para ele.

Aqui estão as sombras do nosso espírito que uma cultura clara e extensa não extinguiu. Aqui está o ceticismo dos bons, diante da crueldade soberba daqueles a quem a fatalidade e a astúcia concederam algum precário poder. Mas aqui também está o desespero contido e sincero dos que não conseguiram ir além, porque todas as escravidões se abateram sobre as suas tentativas. Mas aqui está o coração que fechou seus sonhos, sem deles desistir, preservando-os para um instante melhor. Está a inquietude pelo trabalho belo e puro. Está a firme aspiração para a existência fecunda e pacífica. E o amor pela terra, através de todas as fronteiras, e o amor pela humanidade, acima de raças, credos e cores, estão também aqui, nesta gente que se contempla na face móvel de tão copiosos acontecimentos.

Para a nossa história, os tempos de hoje serão inesquecíveis. Marcam uma data excepcional, para o nosso próprio conhecimento.

Quando a Revolução explodiu, de onde vinha ela? De toda a profunda aspiração brasileira. De uma aspiração tão admirável que se manifestou mesmo em criaturas cujos atos podiam parecer contradizê-la.

E já agora a obra revolucionária não poderá parar. Não parará enquanto não vir criada alguma coisa que sinta nascida de si, que seja a sua glória e a sua verdade.

Gastará nisso ainda muitos anos. Terá que formar uma geração nutrida por estas esperanças de hoje. Terá que se refletir no futuro, para que o futuro a veja e a admire.

Por isso, o ponto mais importante do seu programa está sendo, e tem de ser, o que trata da educação, de acordo com os interesses atuais do mundo, – porque a Revolução seria a sua própria Contrarrevolução, se quisesse refazer um passado cujos erros determinaram a sua origem, para que os corrigisse, salvando o homem que tão dolorosamente viveu sob a sua opressão.

Rio de Janeiro, *Diário de Notícias*, 8 de junho de 1932

Manifestação ao interventor

Acabo de saber que se prepara uma grande manifestação ao dr. Pedro Ernesto, da qual participarão todos os empregados municipais, satisfeitos com a sua administração.

Ora, eu penso que essa manifestação, embora já muito significativa, sendo realizada pelo funcionalismo, poderia ser ainda mais completa, e envolver toda a população da cidade, porque a administração do dr. Pedro Ernesto não se tem caracterizado apenas por um certo número de benefícios diretamente recebidos pelos que junto a ela trabalham, mas – e o que é muito mais importante – por uma série de medidas inteligentemente postas em prática e de que resultarão os mais profundos benefícios para o povo, quer o da cidade, imediatamente alcançado por elas, quer, num período de tempo mais demorado, o do resto do país, quando as experiências do Distrito Federal encontrarem esse espaço para sua natural repercussão.

Eu não quero fazer aqui uma apreciação das realizações revolucionárias. Mas, quando dentre tantos equívocos, tantas contradições, tantas incertezas políticas, – que vêm prolongando até 1932 a indefinição do movimento de 1930, – se vê emergir, com uma serenidade admirável, o trabalho continuado, honesto, justo, sincero do interventor do Distrito, não se pode deixar de imaginar em que ponto estaríamos já se cada um dos responsáveis pelo destino do Brasil estivesse fazendo, no seu respectivo setor de ação, o que ele tem procurado fazer no seu.

E, de todo o maquinismo administrativo, basta considerar o que se vem passando, por exemplo, na Instrução Pública, para se compreender a compreensão adequada com que o dr. Pedro Ernesto tem favorecido os vários problemas sob sua direção, ainda quando fora do domínio da sua própria especialidade.

Da Diretoria de Instrução tem-se dito já todo o bem e todo o mal que é possível. A mesma foi a sua sorte no tempo do dr. Fernando de Azevedo, quando se implantou a reforma cujo espírito encontra, neste momento, formas de atuação para se fixar ao ambiente e nele poder frutificar.

E quando não foi assim? Quando houve, já, trabalho que se desenvolvesse com esforço, dignidade, sacrifício, sem que em torno pululassem todas as intrigas e calúnias provindas de interesses subjacentes, que a natureza da atividade que vai pela superfície impede de medrar, ainda que sem querer?

É procurar pela lembrança, e ver que só os períodos de inércia, de inutilidade, de abandono são suportados com aplauso unânime, ou raros protestos, senão com esse silêncio de fadiga que se adquire vendo o pleno deserto, e sabendo que tanto faz falar como não, porque ali é zona sem eco.

Quando, outro dia, o dr. Pedro Ernesto expôs os trabalhos realizados em seis meses de atividade, o público teve ocasião de ver o que a Diretoria de Instrução está preparando, e o que já pôs em execução, nesse mesmo período, curto demais para qualquer iniciativa, principalmente desse gênero.

É verdade que um certo número de apressados sempre faz questão de fingir acreditar que em seis meses se podem levantar todas as escolas que nos faltam, colocando dentro delas toda a população infantil desabrigada, e fornecendo-as com todo o material necessário – coisa que até aqui não se sabe que tenha sido feito, para exemplo, por nenhuma outra administração.

Mas o que se elabora, para o avanço educacional do Brasil, avanço de vários anos, sobre a rotina e a decadência do passado, avanço que nos integra no lugar justo do mundo e do tempo, avanço que traduz a própria ansiedade revolucionária de dar ao povo consciência de si e da sua época, isso só o podem ver as pessoas cujas ideias não se perturbam com pequenas contrariedades particulares e que não dão crédito a qualquer opinião sem ponderarem, primeiro, o seu efetivo valor.

A obra educacional que se está realizando é, numa parte considerável, obra do dr. Pedro Ernesto. E que fará da sua administração, sejam quais forem os acontecimentos que a aguardem, um período inesquecível para onde se voltarão as vistas do futuro com reverência e admiração.

Os funcionários municipais que vão agora homenagear o interventor devem pensar que, mais que os benefícios imediatos que dele têm recebido, devem-lhe uma garantia de educação melhor para seus filhos, e para seus netos, – e, como a educação é a obra da própria vida, é, afinal, a sua vida que lhe ficam devendo: – é uma vida melhor, mais justa, mais perfeita e mais feliz.

Rio de Janeiro, *Diário de Notícias*, 29 de abril de 1932

Cronologia

1901

A 7 de novembro, nasce Cecília Benevides de Carvalho Meirelles, no Rio de Janeiro. Seus pais, Carlos Alberto de Carvalho Meirelles (falecido três meses antes do nascimento da filha) e Mathilde Benevides. Dos quatro filhos do casal, apenas Cecília sobrevive.

1904

Com a morte da mãe, passa a ser criada pela avó materna, Jacintha Garcia Benevides.

1910

Conclui com distinção o curso primário na Escola Estácio de Sá.

1912

Conclui com distinção o curso médio na Escola Estácio de Sá, premiada com medalha de ouro recebida no ano seguinte das mãos de Olavo Bilac, então inspetor escolar do Distrito Federal.

1917

Formada pela Escola Normal (Instituto de Educação), começa a exercer o magistério primário em escolas oficiais do Distrito. Estuda línguas e em seguida ingressa no Conservatório de Música.

1919

Publica o primeiro livro, *Espectros*.

1922

Casa-se com o artista plástico português Fernando Correia Dias.

1923

Publica *Nunca mais... e Poema dos poemas*. Nasce sua filha Maria Elvira.

1924

Publica o livro didático *Criança meu amor*... Nasce sua filha Maria Mathilde.

1925

Publica *Baladas para El-Rei*. Nasce sua filha Maria Fernanda.

1927

Aproxima-se do grupo modernista que se congrega em torno da revista *Festa*.

1929

Publica a tese *O espírito vitorioso*. Começa a escrever crônicas para *O Jornal*, do Rio de Janeiro.

1930

Publica o poema *Saudação à menina de Portugal*. Participa ativamente do movimento de reformas do ensino e dirige, no *Diário de Notícias*, página diária dedicada a assuntos de educação (até 1933).

1934

Publica o livro *Leituras infantis*, resultado de uma pesquisa pedagógica. Cria uma biblioteca (pioneira no país) especializada em literatura infantil, no antigo Pavilhão Mourisco, na praia de Botafogo. Viaja a Portugal, onde faz conferências nas Universidades de Lisboa e Coimbra.

1935

Publica em Portugal os ensaios *Notícia da poesia brasileira* e *Batuque, samba e macumba*.

Morre Fernando Correia Dias.

Nomeada professora de literatura luso-brasileira e mais tarde técnica e crítica literária da recém-criada Universidade do Distrito Federal, na qual permanece até 1938.

1937

Publica o livro infantojuvenil *A festa das letras*, em parceria com Josué de Castro.

1938

Publica o livro didático *Rute e Alberto resolveram ser turistas*. Conquista o prêmio Olavo Bilac de poesia da Academia Brasileira de Letras com o inédito *Viagem*.

1939

Em Lisboa, publica *Viagem*, quando adota o sobrenome literário Meireles, sem o *l* dobrado.

1940

Leciona Literatura e Cultura Brasileiras na Universidade do Texas, Estados Unidos. Profere no México conferências sobre literatura, folclore e educação.

Casa-se com o agrônomo Heitor Vinicius da Silveira Grillo.

1941

Começa a escrever crônicas para *A Manhã*, do Rio de Janeiro. Dirige a revista *Travel in Brazil*, do Departamento de Imprensa e Propaganda.

1942

Publica *Vaga música*.

1944

Publica a antologia *Poetas novos de Portugal*. Viaja para o Uruguai e para a Argentina. Começa a escrever crônicas para a *Folha Carioca* e o *Correio Paulistano*.

1945

Publica *Mar absoluto e outros poemas* e, em Boston, o livro didático *Rute e Alberto*.

1947

Publica em Montevidéu *Antologia poética (1923-1945)*.

1948

Publica em Portugal *Evocação lírica de Lisboa*. Passa a colaborar com a Comissão Nacional do Folclore.

1949

Publica *Retrato natural* e a biografia *Rui: pequena história de uma grande vida*. Começa a escrever crônicas para a *Folha da Manhã*, de São Paulo.

1951

Publica *Amor em Leonoreta*, em edição fora de comércio, e o livro de ensaios *Problemas da literatura infantil*.

Secretaria o Primeiro Congresso Nacional de Folclore.

1952

Publica *Doze noturnos da Holanda & O Aeronauta* e o ensaio "Artes populares" no volume em coautoria *As artes plásticas no Brasil*. Recebe o Grau de Oficial da Ordem do Mérito, no Chile.

1953

Publica *Romanceiro da Inconfidência* e, em Haia, *Poèmes*. Começa a escrever para o suplemento literário do *Diário de Notícias*, do Rio de Janeiro, e para *O Estado de S. Paulo*.

1953-1954

Viaja para a Europa, Açores, Goa e Índia, onde recebe o título de Doutora *Honoris Causa* da Universidade de Delhi.

1955

Publica *Pequeno oratório de Santa Clara, Pistoia, cemitério militar brasileiro* e *Espelho cego*, em edições fora de comércio, e, em Portugal, o ensaio *Panorama folclórico dos Açores: especialmente da Ilha de S. Miguel*.

1956

Publica *Canções* e *Giroflê, giroflá*.

1957

Publica *Romance de Santa Cecília* e *A rosa*, em edições fora de comércio, e o ensaio *A Bíblia na poesia brasileira*. Viaja para Porto Rico.

1958

Publica *Obra poética* (poesia reunida). Viaja para Israel, Grécia e Itália.

1959

Publica *Eternidade de Israel*.

1960

Publica *Metal rosicler*.

1961

Publica *Poemas escritos na Índia* e, em Nova Delhi, *Tagore and Brazil*.

Começa a escrever crônicas para o programa *Quadrante*, da Rádio Ministério da Educação e Cultura.

1962

Publica a antologia *Poesia de Israel*.

1963

Publica *Solombra* e *Antologia poética*. Começa a escrever crônicas para o programa *Vozes da cidade*, da Rádio Roquette-Pinto, e para a *Folha de S.Paulo*.

1964

Publica o livro infantojuvenil *Ou isto ou aquilo*, com ilustrações de Maria Bonomi, e o livro de crônicas *Escolha o seu sonho*.

Falece a 9 de novembro, no Rio de Janeiro.

1965

Conquista, postumamente, o Prêmio Machado de Assis da Academia Brasileira de Letras, pelo conjunto de sua obra.

Conheça outros títulos de Cecília Meireles pela Global Editora

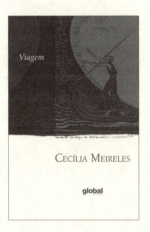

Viagem

Viagem representa um momento de ruptura e renovação na obra poética de Cecília Meireles. Até então, sua poesia ainda estava ligada ao neossimbolismo e a uma expressão mais conservadora. O novo livro trouxe a libertação, representando a plena conscientização da artista, que pôde a partir de então afirmar a sua voz personalíssima: "Um poeta é sempre irmão do vento e da água:/ deixa seu ritmo por onde passa", mesmo que esses locais de passagem existam apenas em sua mente.

Encontro consigo mesma, revelação e descoberta, sentimento de libertação, desvio pelas rotas dos sonhos, essa *Viagem* se consolida numa série de poemas de beleza intensa que, por vezes, tocam os limites da música abstrata.

*Estou diante daquela porta
que não sei mais se ainda existe...
Estou longe e fora das horas,
sem saber em que consiste
nem o que vai nem o que volta...
sem estar alegre nem triste.*

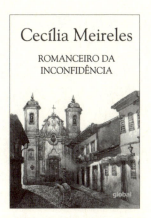

Romanceiro da Inconfidência

A literatura brasileira está repleta de obras em prosa romanceando acontecimentos históricos. Mas uma das mais brilhantes delas é, certamente, o *Romanceiro da Inconfidência*, iluminado pela poesia altíssima de Cecília Meireles. O poema (na verdade formado por vários poemas que também podem ser lidos isoladamente) recria os dias repletos de angústias e esperanças do final da década de 1780, em que um grupo de intelectuais mineiros sonhou se libertar do domínio colonial português, e o desastre que se abateu sobre as suas vidas e a de seus familiares.

Utilizando a técnica ibérica dos romances populares, a poeta recria com intensa beleza o cotidiano, os conflitos e os anseios daquele grupo de sonhadores. Diante dos olhos do leitor surgem as figuras de Tomás Antônio Gonzaga, Cláudio Manuel da Costa, e, se sobressaindo sobre todos, o perfil impressionista de Tiradentes, retratado como um Cristo revolucionário, tal a imagem que se modelou a partir do século XIX e se impôs até nossos dias.

Como observa Alberto da Costa e Silva no prefácio, "com a imaginação a adivinhar o que não se mostra claro ou não está nos documentos, Cecília Meireles recria poeticamente um pedaço de tempo e, ao lhe reescrever poeticamente a história, dá a uma conspiração revolucionária de poetas, num rincão montanhoso do Império português, a consistência do mito".

GRÁFICA PAYM
Tel. [11] 4392-3344
paym@graficapaym.com.br